フィンランド
幸せのメソッド

ichi Tokiko

a pilot of wisdom

まえがき

初めてフィンランドに関する本を出版してから10年以上が過ぎた。この間、日本におけるフィンランドの知名度は驚くほど高まり、より身近になった感がある。講演会を行っても、10年前はフィンランドに行ったことがある人は会場に1人いるかいないか程度だったが、最近は複数いることも珍しくなくなった。

そんな中、ことさら問い合わせや講演のテーマとして増えているものがある。それが、フィンランドの子育て支援政策やジェンダー状況についてだ。母親や女性に優しい国、女性活躍の進んだ国として様々な世界のランキングで上位に名前が挙がるフィンランドは、現在日本が直面している課題を解決するうえで参考になると考える人が多い。ある日本の国会議員は「フィンランドでは女性の多くがフルタイムで働き、政治でも男女平等を確立しつつあり、それでいて教育レベルも高く、ワークライフバランスが整っている。まさに今の日本が目指すべき理想形なんです」と熱く語るほどだ。さらに世界の幸福度ランキングで5年連続1位（2018～22年）、SDGs（持続可能な開発目標）達成度1位（2021年）といった結果もイメージアップの追い風となっている。

しかし、その理想型と言われるフィンランドも、決してはじめから今のような状況だったわけではない。100年ほど前にロシア帝国から独立した頃は、まだまだ貧しい小国。細々と畑を耕し、家畜を世話し、森林を整備しながら暮らす農家が多く、これといって目立つ産業もなかった。男女平等が確立されていたわけでもなく、乳幼児の死亡率も高かった。教育レベルだって決して高かったわけではない。

そんな状況から、他の北欧諸国を追いかける形で福祉国家の体制を確立しながら、男女共に働き、稼ぎ手となれる環境を整えることで、フィンランドは少しずつ発展を遂げてきた。課題が生じるたびに、それを解決するために様々な制度を生み出し、女性の就業率を上げることに成功していった。人口が少ないからこそ、一人ひとりが健康で、能力を発揮して働ける生産効率のいい社会となるために、福祉に力を入れて進化してきた。天然資源の少ない国では人材が一番の資源だと捉え、教育が発展してきた。そして、今度は20年、30年、いや100年後の未来を見据えて多くの改革が行われようとしている。

こうしたフィンランドの社会を支える様々な仕組みについて、さっそく詳細をお伝えし

生き方は、フィンランドの現在を知るうえで最良の入口になるはずだ。たいところだが、その前に、まずは1人の女性のことを紹介しておきたい。彼女の経歴と

家族で初の高校卒業資格保持者に

2019年12月、「フィンランドで34歳の女性首相誕生」というニュースが世界を駆け巡った。新しい首相の名はサンナ・マリン。当時、世界最年少の首相で、女性。彼女の人となりを報じるべく、数百件ものインタビューリクエストが殺到した。

彼女の政治家としての経歴を語る前に、まずはその生い立ちを簡単に紹介したい。1985年に首都ヘルシンキで生まれ、幼い頃に父親のアルコール問題で両親が離婚。その後父親との交流はほとんどなく、母は同性のパートナーと一緒になり、地方都市タンペレ近郊の公営賃貸住宅に3人で移った。マリンはいわゆる「レインボーファミリー」（子どもがいる同性カップル）の出身だ。母親は幼い頃、養護施設で育った経験を持っており、高等教育を受けたことはなく、様々な仕事を転々としていた。失業していた時期もあり、決して経済的に豊かな家庭ではなかったという。親戚も様々な問題を抱えている人が多かった。マリンは家族の中で初めての高校卒業資格保有者になった。

ここまでの情報で既に驚いている人も多いと思う。日本で首相というと、親も政治家だったり、経済的に豊かな家庭で育ったり、というイメージで語られがちだが、それとは真逆といっていい。フィンランドでは教育は大学院まで無料で、児童手当や単親家庭への支援、低所得者向けの様々な手当があるため、経済的な事情で進学の道が閉ざされることはない。子育てについても支援は手厚い。

小中学生の頃には政治家は遠い存在で、マリンは自分が政治に関わりたいとも思っていなかったという。決して勉強が好きなわけでもなかったようだが、高校生になると勉学に励むようになった。だが、高校卒業後すぐ大学に進んだわけではない。自分のやりたいことが具体的には見えていなかったので、店のレジ係として働いたり、時には失業手当を受けて生活したりしていた。そんな中、「失業中の若者には、わずかでも給料のもらえる仕事が一時的に必要で、それがあれば社会を信じることができる」と考えるようになり、行政学を学ぶことを決意して、地元のタンペレ大学に進学する。

ちなみに、フィンランドで大学に入るには、高校卒業試験の結果に加え、各志望大学の試験がカギとなる。学部によっては非常に競争が激しいが、試験のために塾に通うことはない。大学試験は高校時に学んだことではなく、これから学ぶ専門分野の基礎を問うもの

サンナ・マリン。2019年12月に世界最年少の34歳で、第46代フィンランド首相に選出された

(Finnish Government)

が多く、課題図書などもある。通常は自習で乗り切り、浪人して大学のオープンカレッジなどで関連科目を学ぶことはあっても、高額なお金を払って塾に通う文化はない。

大学院までは、先述の通り授業料は無料だし、学生には国から支給される生活費や家賃の手当、さらには国の学生ローンもあるので、どんな家庭であっても進学することができる。しかし彼女はローンには頼りたくないと、大学生活の合間にアルバイトをして生活した。それは、ローンが返せなかったらどうしようという不安が強かったためで、経済的に余裕のある家庭の出身だったらローンに対する恐怖心は違っていただろうと後に語っている。

政治の道へ

大学に入学した頃に、サンナ・マリンは政治への不満を抱き始める。アルバイトをしながら気づいた若者の失業問題の他にも、気候変動などの急を要する課題に政治家が十分に向き合っていないと感じたためだ。そこで、「自分自身が政治に関わり、世の中を良くしたい」と考えるようになり、社会民主党の青少年部に所属することにした。社会民主党を選んだ理由は、自身の経験などから「生まれや背景に関係なく、誰もが社会で成功できること」が重要だと考えていたからで、そうした信条や価値観に最も近い左派政党だったためだ。

第3章や第5章で説明する通り、フィンランドでは市民教育が盛んで、社会は一人ひとりがつくるものだと多くの人が主体的に考えている。各政党には青少年部があり、若者が10代の頃から政党に関わるのは珍しくない。マリンも20歳頃から社会民主党青少年部の中で積極的に活動に参加し、大学や地域の学生議会、学生アパートの自治会などであらゆる役職に携わって、徐々に存在感を示していった。

ちなみに大学での勉強は政治活動をしながら行っていたため、卒業するまでに10年以上かかり、国会議員になった後の２０１７年に修士号を取得している。フィンランドでは自分が何を勉強したいか、将来は何をしたいのかをゆっくり考えながら進学する人も多いので、入学する年齢もバラバラなら、卒業までにかかる年数もそれぞれだ。大学生と社会人のはっきりした境目はなく、学生の間に仕事を始めてしまう人もいるし、ある程度仕事をしてから学生に戻る人も多い。

青少年部に所属したマリンは、２００８年に23歳で地元タンペレの市議会議員に出馬するも、落選。しかしその後、メキメキと頭角を現していく。２０１０年には25歳で党青少年部の副代表となり、２０１２年にタンペレ市の市議会議員選挙に再挑戦して当選。その翌年には、すぐに市議会議長に就任した。

議長は通常第二党から出すのが慣例で、この時、市議会で第二党だった社会民主党の議員たちは、全会一致で彼女を議長に推した。マリンは路面電車の新設など難しい議題でさっそく手腕を発揮し、どんな難局でも話し合いを前進させてまとめ上げる、非常に頑固で厳しい議長として知名度も評判も上げていった。

この時期に、話し合いが何時間もの膠着(こうちゃく)状態に陥っても粘り強く対応し、多数決を取る際に「まだ話し合いが足りない」と叫んで粘ろうとする議員に向かって、断固とした態度で応じる姿が注目を集め、メディアやSNSでも拡散されていた。実は当時、私もタンペレ在住の友人から「市議会の議長がすごいから、見てみて！」と動画を見せられたことがある。

地方議会の議長をつとめながら、マリンは2014年には党の第二副党首に就任し、2015年には国会議員に初当選した。フィンランドでは地方議員と国会議員を掛け持ちすることが可能で、多くの国会議員が大臣職に就いた後でも地方議員を続けている。マリンも、首相となった現在でもタンペレ市議会の議員を兼任している。

さらに2017年には、党の第一副党首に就任。2019年春の国政選挙では急病で倒れた党首に代わって選挙戦を率いて、社会民主党は約20年ぶりに第一党となった。その後に誕生した政権では、運輸通信大臣に就任。フィンランドでは連立政権を担う党が大臣職を分け合うため、党内で地位や評価が高ければ、議員1期目、2期目でも大臣に就任することがある。そして同年12月、首相をつとめていた同党の党首アンティ・リンネの辞任に伴い、第一副党首のマリンが首相候補選で勝利し、首相となった。

「店のレジ係でも首相になれる」

サンナ・マリンは政治家として着実にキャリアを築きながら、プライベートでもライフイベントを重ねている。国会議員になった後の2018年1月には長年のパートナーとの間に娘が生まれ、半年間の産休と育休を取得。パートナーも彼女が育休を終えた時に、入れ替わる形で半年間の育休を取得している。その後、首相になり新型コロナウイルスの第一波が落ち着いた2020年8月1日、2人は正式に結婚した。

事実婚が多いフィンランドでは、結婚のタイミングも人それぞれだ。親の結婚の有無は子どもの権利に影響しないため、長年連れ添って子どもがいても、結婚していないというカップルは珍しくない。それぞれが仕事を持ち、子育て支援制度や互いの両親の協力を受けながら、平等に、そして一緒に子育てをしていきたいという、現代のフィンランドらしいマリン首相夫婦の考えは、様々なインタビューや実際の行動からも伝わってくる。とはいえ、首相の仕事は激務である。彼女が首相に立候補する際、夫は「僕とお義母(かあ)さんたちとで支えていくから心配しなくていいよ」と全面的に協力することを伝えたそうだ。

マリン首相は母乳を与える様子などをSNSに投稿する一方で、率直にメッセージも発信している。例えば、首相就任直後、エストニアのある大臣が彼女のことを「レジ係」と呼び、中傷したとの報道があった。すると彼女はツイッターに「フィンランドを誇りに思う。貧しい家庭の子でも十分な教育を受けられ、店のレジ係でも首相になれるのだから」と投稿した。

年齢や性別に関する質問に対しては、彼女の答えは「年齢や性別を意識することはあまりない」と一貫している。2020年の世界経済フォーラムのダヴォス会議で同様の質問があった時も、マリン首相は「私たちは普通の政府です。女子更衣室で雑談しているのではありません」と返した。

そして2020年の新年の国民に向けての挨拶では、「社会の強さは、最も豊かな人たちが持つ富の多さではなく、最も脆弱(ぜいじゃく)な立場の人たちの幸福によって測られます。誰もが快適で、尊厳のある人生を送る機会があるかどうかを問わなければなりません」と締めくくっている。

女性トップに驚く人はいない

サンナ・マリン首相の行動や発言に海外メディアの注目が集まる一方で、就任時、フィンランド国内の受け止め方は冷静だった。もともと彼女は党内での存在感も大きく、前首相が辞任したことで彼女が新たな首相となるのは自然の成り行きだと思われていた。

それに、34歳という年齢はフィンランドの首相でも最年少だったが、30代の首相はこれまでにもいたし、同年代の閣僚も多い。女性首相もこれで史上3人目だ。2000〜2012年には2期にわたって女性が大統領をつとめていたこともある。国会議員の約半数は女性で、閣僚も女性の方が多い。だから国内では、首相の年齢や性別よりも、連立政権を率いる五党のリーダーたちが首相を含め、全員女性となったことの方が目をひいた。しかも5人のうち4人が30代前半だった。

フィンランドでは2000年、初の女性大統領タルヤ・ハロネンが誕生した。女性議員もますます増え、女性が党首に就く例もあったが、長い歴史を持つ大規模政党のトップに比較的若い女性が就くようになったのはこの十数年の傾向だ。

とはいえ、こうした状況に全く批判がなかったわけではない。知人の70代の男性は、周囲の男性を中心に「女の子たちにいったい何ができるんだろう」と冷ややかな目で見ている人もいると言っていたし、野党支持者の中には痛烈に批判する声もあった。

就任後まもなく新型コロナウイルス感染症という大きな難題に見舞われたものの、他の欧州各国に比べれば感染者数が少ないこともあり、マリン政権の支持率は高く評価も高かった。ただ、政権発足から時間が経つにつれて、様々な批判の声も上がっている。だが、それらは決して性別や年齢に紐(ひも)づいたものではない。おおかたの国民は、冷静に彼女の政治家としての実力を厳しく見ている。

サンナ・マリンは特別な存在ではない

このように若い女性が首相になったサクセスストーリーを語ると、特別な才覚を持った人の話だと思われるかもしれないが、彼女の歩みは決して珍しいものではない。

例えば、緑の党の党首で現政権の閣僚でもあるマリア・オヒサロは、マリンと同じく幼少期に苦労した人物だ。1歳の誕生日は母親と共に保護シェルターで迎え、その後も経済的には常に困窮状態にあった。しかし、貧困に関する研究で博士号を取得し、政界でも活躍している。他に難民から国会議員になったケースもある。

そうした活躍を可能としているのは、まず家庭環境や経済的事情、性別、年齢に関係なくトップレベルの教育を受けることができる社会システムだ。そして政党でも、手腕を示せば、地盤や看板、お金がなくとも政治家になることができる仕組みが整っている。

マリンが市議会議員や国会議員になるにあたっても、彼女の生い立ちは全く影響しなかった。幼少期の話やレインボーファミリー出身だということがオープンに知られるようになったのは、議員に当選してからだ。

　加えて、フィンランドでは年功序列はそれほど重視されていない。むしろ、フットワークが軽く、柔軟で新しいことに敏感な若い人たちに仕事をどんどん任せて、年長者はそれを支える側に立つ文化がある。

　出自や年齢、性別に関係なく機会の平等が見られるのは、政治の世界だけの話ではない。日本でも人気のテキスタイルのブランド、マリメッコは２０１５年に勤続10年の34歳女性ティーナ・アラフフタ・カスコを社長に選んだ。通信インフラの開発などを行うノキアの前会長リスト・シラスマは42歳で取締役になり、46歳で会長に就任した。近年のスタートアップ企業や大成功したゲーム会社、ＩＴ企業のＣＥＯや役員、経済界のインフルエンサーたちも、たいてい20代から40代で、女性も多い。私が以前つとめていた、体質的には古いと言われる産業機械のエンジニアリングメーカーでさえも、副社長に30代がいたり、エンジニア出身ではない女性が要職に就いていたりする。

　大学に目を移せば、10代後半から20代前半だけでなく様々な年齢や背景の人たちが学んでいて、何度目かの学位を目指している人たち、失業などで学び直しをしている人もいる。転職も多く、40代、50代になってから全く違うフィールドに挑戦する人もたくさん目にしてきた。

　フィンランドにいると、自然に年齢や性別の「フレーム」がなくなるのを感じる。それはどうしてなのかとフィンランド人に問えば、決まって「フィンランドは小さい国だから」と始まり、こう続く。「豊かな天然資源があるわけでもなく、人口も５５０万人に過ぎない。だからこそ、一人ひとりが国の大切な資源であり、その資源に投資し、それぞれが能力を伸ばして発揮できる社会にする必要があるからね」。

　手厚い子育て支援制度や様々な福祉制度、博士課程まで無償で全ての人に高い質の教育を保障している教育制度、失敗しても生活を維持でき、何度もやり直せる社会、肩書きや年齢、性別、家庭環境、経済的な背景とは関係なく資質や能力をフラットに評価する文化。これらはまさに、「人こそが資源」という考え方につながっている。

　以前、フィンランド人の友人が「アメリカン・ドリームという言葉があるけど、本当はフィンランド・ドリームの方がすごいと思うんだよね」と言っていた。年齢も性別も家庭環境も関係なく、自分がしたいことを実現でき、それが評価される社会がそこにある。マリン首相はまさに、それを体現している１人だと言えるだろう。

サンナ・マリン首相を生んだフィンランド社会は、どのようにして現在のような仕組みをつくり上げてきたのだろう。そして、フィンランドは「人」という最大の資源に対して、どのような投資をしているのだろう。以下のそれぞれの章では、ジェンダー平等や子育て支援、教育といったフィンランド社会を支える仕組みについて、詳しく見ていくことにしたい。

目次

当たり前になった政治家の産休・育休
地方議会は発展途上
独立と戦争で必要とされた女性の力
本格的な女性の社会進出と保育の拡充
親を支える保育所
育休からの復帰を確実に保障
共働きを前提とし、配偶者控除はなし
家事も育児も平等に
「父親休暇」が誕生した経緯
柔軟な働き方も両立を後押し
頑張りすぎず、自由におおらかに
気楽に生きるための工夫
多様化する家族の形
仕事も家庭も趣味も勉強も
フィンランドでも努力は続く

第2章　子ども家族を支えるネウボラ

第3章　フィンランドの教育の変化

横断的授業
変化しつつある教師の役割
多様な子どもたち、教師と専門家が連携
成績は子どもとの話し合いで決まる
現場の教師の反応は？
ウェルビーイングの改善
いじめ防止プログラム
体を動かしながら算数を学ぶ
教師のワークライフバランス
地域や学生ボランティアとも連携
コロナ禍の遠隔授業
地元の学校が一番

第4章　福祉国家の起業ブームとリカレント教育

起業立国としての一面
学生主体のスタートアップイベント「スラッシュ」
ノキア発のスタートアップ
起業家を育てる教育
実際の起業家の声
起業大国に導いた原動力
失敗に寛容な社会
盛んなリカレント教育
コロナ禍での学び直し
レールは一本ではない
ひと月約5万円の学生手当
ワークライフバランスの充実

第5章　フィンランドの現在とこれから

様々な課題

出生率の低下

高齢化の波

移民の増加

ポピュリズム政党の台頭

現政権が目指すもの

サンナ・マリン政権誕生

目玉は雇用と気候変動対策

コロナ禍で行われた、「子どもたちに向けた記者会見」

サステナブルな社会に向けて

社会を支える市民の力

若者たちの行動力

幼い頃からの市民教育

章扉・図版デザイン／MOTHER

フィンランド周辺地図

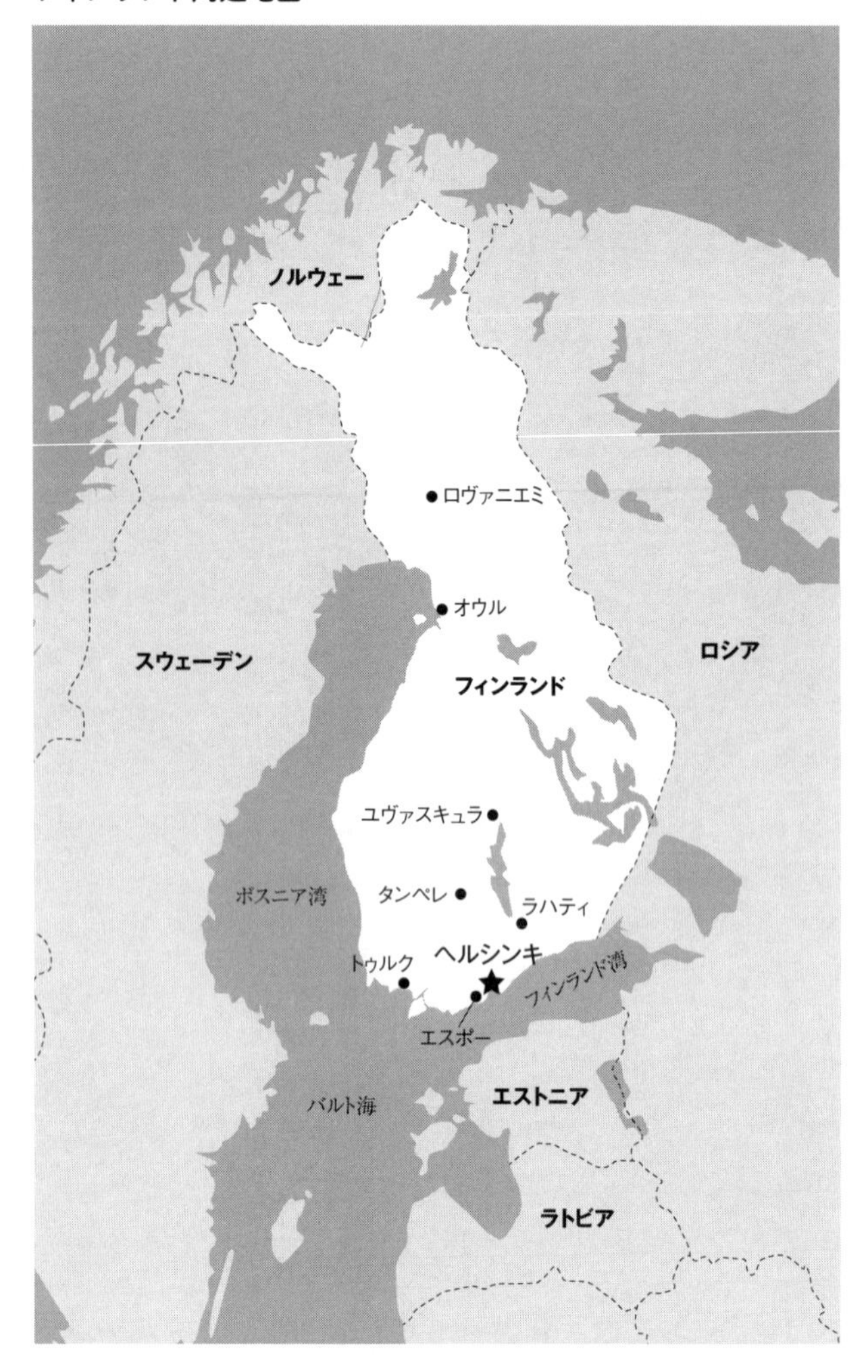
ノルウェー
ロヴァニエミ
オウル
スウェーデン
ロシア
フィンランド
ユヴァスキュラ
ボスニア湾
タンペレ
ラハティ
トゥルク
ヘルシンキ
フィンランド湾
エスポー
バルト海
エストニア
ラトビア

第１章
ジェンダー平等への道のり

サンナ・マリン内閣で連立与党を率いる５党の党首たち。マリン（中央）をはじめ、全員が女性である（2021年3月撮影、Finnish Government）

フィンランドは男女平等が進み、女性や母親にとって暮らしやすい国として知られる。世界経済フォーラム（WEF）が発表している、男女格差を示す「ジェンダーギャップ指数」でも例年上位にあり、2021年はアイスランドに次いで2位だった。

実際、フィンランドに住むと、女性が社会に進出し、活躍していることを肌で感じる。日本の自治体や経済・政治団体の視察団が訪れると「会う人、会う人全てが女性で、しかもみんな肩書きに長が付く人ばかりだった」とか、「女性の存在感が大きかった」という感想をよく聞く。中には「今まで経営者として女性活躍、ダイバーシティを推進しようと社員に言ってはいたが、本当にそれが実現可能だとは信じていなかった。でもフィンランドでは本当に実現されていて驚いた」と語った日本の某大手企業の経営者もいる。

フィンランド統計局の調査によると、2020年、15〜64歳の女性の就業率は70・7%、男性は72・5%で、男女の間にほとんど差はない。うちパートで働く人たちは、女性が2割で男性が1割。若干の差はあるが、女性も多くがフルタイムで働いていることがわかる。

さらに、18歳未満の子どもがいてもいなくても、女性の就業率にほとんど差はない。しかも、母親のうち8割以上はフルタイムで働く。つまり、子どもの有無が女性の仕事にほとんど影響していないという状況が見えてくる。

一方、日本でも18歳未満の子どもがいる母親の就業率は72・4%とフィンランドとあまり変わらないが（厚生労働省発表2019年版国民生活基礎調査の概況）、うち正社員で働いているのは26・2%と少ない。非正規やパートで働く人の方が圧倒的に多いのだ。

また、上場企業の取締役会に占める女性の割合は、フィンランド商工会の調べで約3割（2020年）。まだ半数という目標には達していないが、女性役員の人数もこの10年で3倍に増えている。これは世界的にも高い数値となっていて、例えば、コンサルティングファームのデロイトが2019年に発表した調査によると、世界60ヵ国のうちフィンランドは32%で4位に入っている。上位2ヵ国は順にノルウェー41%、フランス37%だが、いずれもクウォータ制（一定の比率で女性に優先的にポストを割り当てる制度）を採用している。それに続くスウェーデン、フィンランドは、クウォータ制を採用していない。

省庁でも、職員の男女比は半々に近づきつつある。中でも、外務省は女性の方が多く、職員の7割を女性が占める。外交官の数でも女性が男性を上回り、大使などの代表者も男女でほぼ同数だ。しかも最近では、外交官研修に合格する人たちの多くが女性となっており、一部の男性外交官は「僕は絶滅危惧種」と冗談で言うほどだ。これだけ女性が増えているのは、語学力に優れ、国際政治や社会学を学ぶ優秀な学生に女性が多いためだという。

女性活躍の背景

これほどまでに、女性が決定権のある立場に就くようになってきたのはなぜか。まず、能力に性別は関係ないことが幅広く認められてきたことが背景にある。例えば、女性を経営陣に登用している企業は業績がいいことが示された。フィンランド版の経済同友会にあたる「ビジネス・政策フォーラム」(EVA)が2007年に発表したレポートによると、上場企業では女性経営者の企業の方が、男性経営者の場合と比べて平均で利益率が10％高いという。レポートでは、あくまでもヒアリングによる推論としながらも、女性の方がビジネスの課題やリスクを見つけて早めの解決につなげていく傾向が強く、教育レベルも高くて専門知識や経験も豊富なうえ、国際感覚やコミュニケーションに長けているため、と理由が述べられている。

メディアもこうした調査結果や、ロールモデルとなるような女性たちを盛んに取り上げてきた。さらに中央省庁や公的機関で積極的に女性を登用していったことも影響している。

今や修士号や博士号を取得するのは男性よりも女性の方が多くなり、アシスタント業よりも専門職に就く女性が増えたことも大きい。

また、フィンランドには「平等法」という法律があり、30名以上の従業員がいる企業は、男女平等に関する行動計画を2年に一度提出しなければならない。計画づくりには従業員の代表も必ず加わり、職場での平等実現に向けて、環境、給与、仕事の内容など全般でアセスメント、対策の検討、計画づくりを行い、達成度を定期的にフィードバックする。

平等法は2015年に改正され、男女だけでなく、性的指向や性自認も含めて、性的マイノリティーの人たちにも配慮された内容となった。この法律は企業だけでなく教育現場にも適用されていて、学校でも3年に一度、平等に関する計画づくりがされる。法務省のもとには平等に関するオンブズマンが設置されており、法律のもと、人権が平等に扱われ、不適切、差別的なことがないよう監視している。

政治の世界でも目立つ女性たち

政治の世界ではどうか。2019年の選挙では当選した国会議員200名のうち、女性が94人で47%を占めた。その後、首相が交代してサンナ・マリン内閣が誕生した際には、閣僚19名中12人が女性となった。2000年以降の閣僚の男女比はほぼ半々で、これまでにも女性の方が多かった時もあれば、そうでない時もある。もはや男女の割合で一喜一憂する時代ではなくなり、「性別に関係なく、ふさわしい人が選ばれる」と冷静に受け止められている。

実際、フィンランドの公共放送YLEの調査によると、選挙で誰に投票するかを決める際に、性別は影響しないとの結果が出ている。以前は性別が投票理由の一つになり得たが、今は実力などの要素を重視するのだという。

一部北欧諸国では女性の割合が一定になるようクウォータ制を導入し、議席の少なくとも4割以上が女性になるようにしている。しかし、フィンランドでクウォータ制が定められているのは、任命制の地方と政府の委員会のみ。選挙にクウォータ制はないのに、約半数が女性になっているのだ。

フィンランドは全国を14のブロックに分け、非拘束名簿式（候補者名または政党名のいずれかを書いて投票する方式）の比例代表制選挙を行う。この方式では、選挙のたびに政権や与野党の交代が起こりやすい。どの党も支持率が拮抗（きっこう）しているので、より多くの有権者の票を勝ち取る努力が求められる。そのため、各党は老若男女を問わず幅広く有権者の声に耳を傾け、多彩な候補者を揃えなければならない。投票率を見れば、1970年代以降は男女の投票率がほぼ同じになっており、今では女性の投票率の方が少し高い。それゆえに、女性有権者のニーズは、党の方針や候補者選びにも大きく反映される。党によっては候補者も当選する議員も女性の方が多いこともある。

フィンランド人に女性議員が増えた理由を聞くと、「歴史の流れ」「優秀な人を選んだ結果」「教育の成果」といった声が返ってくる。バランスを保つために無理やり女性を増やしたといった経緯はない印象だ。党首や閣僚に女性が多いことについても、単純に実力と人気が評価された結果だと多くの人が捉えている。

珍しくなくなった女性リーダー

話は少し前にさかのぼるが、私がフィンランドに留学した2000年は、ちょうど史上初の女性大統領タルヤ・ハロネンが就任した年であり、大学でも女子学生たちは女性大統領の誕生を誇らしげに語っていた。ある友人が言うには、彼女や兄弟は女性候補者に投票したが、彼女の父親は女性を大統領にしたくないとの理由だけで対抗馬の男性候補者に投票していたという。まだまだ政治家の性別が話題や決定に大きな影響を与える時代だったといえる。

タルヤ・ハロネン大統領は就任当時シングルマザーで、子どもの父親とは別の男性と事実婚の関係にあった。そういった事実婚カップル自体は当時既に珍しくはなかったが、国の代表としては前代未聞のことだった。その後、2人は正式に入籍している。強さと個性を持ち、我が道を行き、あまり周りやメディアを気にせず外出する彼女の様子は、良くも悪くも注目を集めた。

その後、私が留学中の2003年には女性のアンネリ・ヤーテンマキ首相も誕生、国のトップ2人が女性ということで騒がれた。さらに2010年には史上2人目の女性首相マリ・キビニエミも登場した。彼女は当時2人の幼い子どもを持つ母親で、かつ42歳ということで国内外の注目を集めたが、どちらの女性首相も在任期間は長くない。

それから10年以上が過ぎ、今では女性が党首や議長、大臣職などの要職に就くことも珍しくなくなった。「最近、目立つ女性の政治的リーダーって誰?」とフィンランドの友人たちや同僚に聞くと、いろいろな名前が出てくる。15年ほど前であれば「タルヤ・ハロネン大統領」と誰もが一番に答えたが、「彼女はあくまでも歴史上に何人かいるキーパーソンの1人であって通過点でしかない。今はもっと多岐にわたっていろいろな女性リーダーがいる」というのが、友人たちの声だ。

それでも世界的に見て、目立つ存在といえばサンナ・マリン首相だろう。そして政権発足当時、連立与党を率いる五党の党首が全員女性で、そのうち4人が30代前半というのも大きな話題になった。2020年9月にはそのうちの1人が交代したが、後を継いだ新たな党首も30代の女性だった。彼女たちは幼い頃から男女共働きの社会で育ち、政界にも周りにも女性のリーダーたちが既に多く存在した世代だ。しかも10代の多感な時期に初の女性大統領が誕生。続いて女性が首相になるのも見ている。女性が国のトップになることを自然に受け止めてきたはずだ。マリン首相もかつてインタビューで「憧れの政治家はいないが、ハロネン元大統領は確実に私たちの道しるべとなった存在」と語っている。

もっと若い世代だと、緑の党で今後が期待される20代の女性議員リーッカ・カルッピネンに至っては、物心ついた時には大統領は女性で、地元の首長も女性だった。そこで当時、父親に「男性でも大統領になれるの？」と聞いたと新聞インタビューで語っている。

年功序列ではなく、若者に期待

マリン政権を担う連立与党の党首5人が全員女性だと述べたが、これも別に不思議なことではない。どの党もほぼ半数以上の議員が女性なのだ。５人の顔ぶれを見て、海外メディアやＳＮＳなどでは「女性ばかりなのはいかがなものか?」という否定的な声が一部で上がったが、正当な手順で党首選が行われ、そこで一番に選ばれた人たちがたまたま全員女性だったというだけなので、フィンランド国内では少し驚きはあったものの、男女のバランスに否定的な声はない。

注目すべきは、男女のバランスよりも、若い世代が党首に就いていることだろう。フィンランドでは過去にも30代の首相や20代の閣僚がいたこともあり、日本よりもはるかに若い人たちが役職を担うことが多い。それは政治に限らず、優秀な若い人たちの可能性を信じて任せ、ベテランは陰で支える文化があるからだ。

確かに経験はないよりあった方がいいが、フィンランド人が必要だと考えている「経験」の年数は日本よりも短い。企業でも5年の経験があれば十分ベテランの部類に入ってくる。何十年の下積みをしてやっと認められるというよりも、ある程度全体の流れが把握できていて、その人が優秀で素質があるとわかればいい。だから30代で頭取や取締役に就くことも、学校の校長をつとめることもある。

政治においても2~3期目で閣僚になることは普通だ。党内の力関係や誰が役職に就くかといったことは、当選回数で決まるのではない。選挙での得票率やそれまでの党内での人気、実力、そして本人の適性がカギとなる。性別や年齢も関係ない。

現在、国会議員の平均年齢は40代半ば。いくら実力主義とはいえ、いくつかの党の党首に30代が就いているのはなぜか。それは、彼女たちに寄せられている変革への期待の表れだろう。グローバル社会の進展に様々な技術革新、生活や価値観の多様化と、私たちを取り巻く世界は刻々と変わっている。どの党も存続のためには変化に対応でき、次世代を担う若者を取り込む必要がある。そういった中で、各政党は象徴となる若いリーダーを求めているというわけだ。

ただし、彼女たちは若さだけが理由で党首に就いているわけではない。教育を十分に受け、行政学や政治学、社会学を学び、10代、20代前半から党の活動に携わってきた経験もある。「まえがき」で言及した通り、フィンランドでは早ければ15歳頃から党の青少年部に入って活動することができ、高校生などが政治活動に関わることは決してタブーではない。党にとってみれば、若い青少年部員たちは若者世代にリーチするための大切な媒介者であり、多少過激であっても、若い人が持つ柔軟な発想が党に刺激を与えてくれることもある。また、彼らは未来の政治家の卵でもある。

マリンも20歳から党に入って政治に携わっているし、他の党首たちも10年以上政界でキャリアを積んできている。当選回数は多くなくとも、全くの素人というわけではなく、ある程度の時間をかけて地道に党の内外で信頼と人気を勝ち取ってきているのだ。

当たり前になった政治家の産休・育休

国会に30〜40代の議員が多くなり、さらに女性議員が増えたことで、政治家に幼い子どもがいることも、出産や育児のために休暇を取ることも自然になってきている。それは閣僚であっても同じだ。

例えば、２０２０年9月に党首選で勝ち、政権与党の5人のリーダーの中に入ったアンニカ・サーリッコは、前政権時、妊娠中に科学・文化大臣に就任した。当時から党首に望まれていたが、彼女は出産や家族の時間を優先したいとして出馬はせず、まもなく1年間の出産・育児休暇に入った。その間は同じ党の他の議員が代わりに大臣をつとめた。そして復帰直後に行われた党首選に出馬し、党首に選ばれた。

彼女が産休・育休を取ったのはこれが初めてではなかった。第一子の時は、何と育休中に大臣職に任命されている。この時も党内の合意のもと、最初は同じ党の代理が大臣職をつとめ、育休復帰後、少しずつ職務をサーリッコに移行していった。

さらに5人の女性リーダーの中のもう1人、リ・アンデルソンは教育大臣をつとめているが、2020年9月に妊娠を発表し、年末から産休・育休に入り、その休暇中はやはり同じ党の他の議員が代わりをつとめ、アンデルソンは出産から約半年で大臣に復帰している。5人のうちのもう1人である緑の党の党首も、2021年11月から出産・育休に入った。彼女は党首選への出馬意志と妊娠を同時に発表し、その後再選された。

男性議員も積極的に育休を取っている。マリン政権で国防大臣をつとめる男性議員も父親休暇を取得したが、もはや大きなニュースになることもなく、メディアではいつからいつまで休暇に入り、その間は誰が代理をつとめるといったことのみが事務的に報道されていた。このように最近の流れを見ていると、フィンランドの政治家や閣僚にとって、出産や育児は政治家のキャリアに負の影響を与えるものではないのだと、強く感じさせられる。

地方議会は発展途上

そんなフィンランドだが、地方に目を向けるとまだ完全には男女の偏りが解消されたとは言えない。地方自治体の議会に占める女性議員の割合は現在40・2%。1980年代には2割、1990年代で3割だったことを考えると増加傾向ではあるが、田舎や小さな自治体では圧倒的に男性が多い議会もある。

その理由の一端は大学の立地にある。優秀で政治意識の高い女性は大学に進学し、卒業後は大学のある都市に残るか、さらなる大都市に出ていく。その結果、どうしても都市から遠い農村部は女性の人材不足になりやすい。実際、地方議会の候補者は女性が4割程度であり、男女で半々にはなっていない。

また、農村部は保守的で、EUやグローバリズムなどに懐疑的な人も多く、保守派政党の支持率が高い。一方、都市部では環境問題やフェミニズムなどへの関心も高く、各党の候補者に女性も多い。前回の選挙では、緑の党は女性候補者の割合が約6割に上った。2021年の選挙では、エスポーやヘルシンキなどの都市部では女性議員の比率が5割以上を占めた。立候補者の男女比や、どの政党が強いかという地域ごとの傾向が、当選議員の男女比にも表れている。

地方議会でも、直接選挙で選ばれる議員にはクウォータ制はない。だが、委員会などでは1990年代からクウォータ制が導入され、ジェンダーバランスが配慮されている。そのことは地方行政で意思決定の場に女性が就くことを後押ししたという。実際に、地方議会の議長に就く女性は増えていて、今は4割。ただ、自治体の首長は女性がまだ2割しかいない。ちなみにフィンランドの場合、首長は選挙で選ばれるのではなく、一般公募を経て議会が選出する。

地方議会では多くの会議が夕方に開かれている。地方議員の職は本業という扱いではなく、それぞれの議員が普段は他の職業に就いているためだ。議員は職業ではない、というのが多くの人の感覚だ。議員としての給料もなく、会議に出席するたびに数千円から数万円の手当が支払われるだけで、その額は自治体によってかなりのバラつきがある。さらに、短時間で効率良く議会が運営できるよう書類をデジタル化したり、ネットを多用したりするなど工夫がされているため、様々な職種の人や、子育て世代や若者など、信念を持った多様な人たちが集まりやすい。フィンランド統計局の調査によると、10代から70代まで幅広い年齢の人たちが集まる地方議会の平均年齢は50歳だが、年齢構成を見ると、仕事や家のことで忙しい30代、40代も多く含まれていることがわかる。

なお、地方議会は国政に出る前に経験を積む場所にもなっているが、国政に出ても、フィンランドでは地方議員を兼ねることが可能で、実際に多忙なスケジュールをやり繰りしながら、両方を兼任している人が多い。

このようにスピードの違いはあるが、地方でも、中央でも女性議員の数は着実に増えている。2022年に初めて行われた保健・福祉サービスを決める地域の議員選挙では、女性が当選議員の過半数を占めた。もちろん、重要なのは性別ではなく議員一人ひとりの能力だが、女性議員が増えたことで早期に実現できた政策もある。女性議員が女性たちの声をより強く代弁したことで保育制度が整い、女性が働きやすい社会ができていったのは事実だ。

また、女性議員が増えることで、性別を理由とする厳しい視線や偏った考えがなくなってきた。1980年代、1990年代の女性閣僚経験者は、「女性が少なかった時は何か失敗した時に『これだから女性は』と、個人ではなく女性全体のこととして捉えられることが多かった。だが、女性議員が増えてくると、自分のふるまいも女性の特徴としてではなく、より個人の資質として評価されるようになった。だから、人の2倍努力したり、強くあろうとしたりする必要はなくなった」とインタビューで答えている。

しかし、ここまでの道のりは決して平坦なものではなかった。100年前のフィンランド人たちは、今の状況はきっと想像もしなかったに違いない。

独立と戦争で必要とされた女性の力

フィンランドは、もともと畑や森の仕事と家畜の世話を中心とする貧しい農業国だった。当然、女性も農作業や家畜の世話をしなければならず、時には他の家へ手伝いに行くこともあった。しかし1919年までは、夫の許可なしに妻が給料の発生する仕事に就くことは法律で禁じられており、たとえ許可を得られたとしても、当時女性ができる仕事といえば主に家事手伝いのみ。専門教育を受けたごくわずかな女性が教師や助産師といった限られた職業に就いていたが、大半は数年の基礎教育を受けるのがやっとだった。さらに1930年に婚姻法が施行されるまで、婚姻における夫婦関係は平等でなく、夫は妻の後見人で、妻個人の財産は認められていなかった。

とはいえ、その間にも女性が政界に入る第一歩が始まっている。1906年、フィンランドでは男性と同じタイミングで、世界で初めて女性に選挙権と被選挙権の両方が同時に与えられた。といっても、これは男女平等の観点から行われた施策ではない。当時、フィンランドは自治を認められながらもロマノフ朝ロシア帝国の支配下にあったが、日露戦争や国内の混乱によってロシア政府の力が弱体化していたため、フィンランドにとっては独立につながる議会を設置する好機だった。そのために老若男女を問わず、できるだけ多くの人たちを巻き込む必要があり、全ての24歳以上の国民に参政権が与えられたのだ。

翌1907年に行われた第1回議会選挙では200名が当選する。うち19名が女性であり、これが世界初の女性の国会議員誕生ということになった。1926年には短期間だったが、ミーナ・シッランパーが初の女性大臣にもなっている。その第一歩は後に、教育の門戸開放や婚姻法の改正、そして女性が個人で財産を所持することを認める法律の整備につながっていったが、女性議員に対する社会の目はまだ冷ややかであった。当時の風刺漫画では、女性議員がヒステリー持ちの女性として描かれており、外見を揶揄する声や嘲笑も当たり前だった。そして約半世紀もの間、女性議員の割合は横ばいを続けた。変化が訪れたのは1970年代に入ってからのことだった。

女性の就労についてはどうか。女性が労働力として認められたきっかけは第二次世界大戦だ。フィンランドは1939年、および1941~44年にソ連と戦ったが、その中で約9万人の兵士が命を落としている。対ソ戦に際しては、当時の人口360万のうち1割以上にあたる約50万人もの男性が兵士として戦地に赴くことになり、労働力不足を補うために何万人もの女性が仕事をすることで、何とか国を維持していた。それが女性を社会的により高く評価するきっかけになり、女性自身の意識も変わっていった。

フィンランドで1907年に誕生した世界初の女性の国会議員たち

（Helsinki City Museum）

フィンランドの国会に占める女性議員数の推移（定数200名）

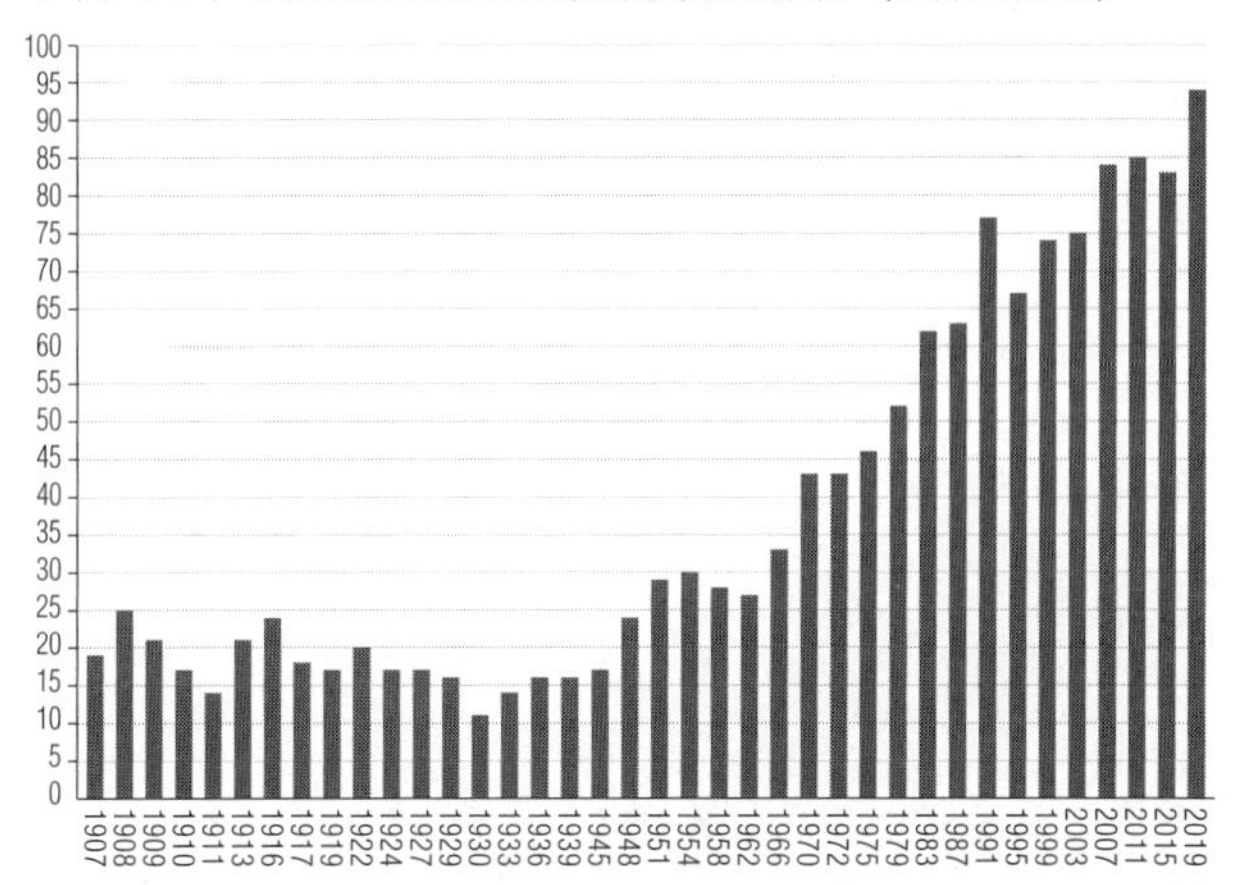

（1907～2019年、Finnish Parliament公開のデータを基に図を作成）

だが、フィンランドは敗戦国として第二次世界大戦を終えることになる。それにより、戦後は多額の賠償金返済のため、より多くの人が就業するよう求められることになった。女性も戦時中以上に働き手として重要視されたが、当時はまだ子どもを預ける場所もなかった。一方で、多くの国と同様、男性が戦地から一気に戻ったことでベビーブームが起きる。女性にとっては、働こうにも子どもを抱えて身動きの取れない状況が続いた。

本格的な女性の社会進出と保育の拡充

１９６０年代以降、フィンランドは従来の農業中心から工業、サービス中心の社会へと変わり、それに伴って人々の生活拠点も地方から都会に移っていった。産業構造の変化は機械のオペレーターや店員、事務員など、女性でも従事しやすい職業をつくり出した。また、他の北欧諸国を追う形で、福祉国家として公共サービスや福祉サービスの拡充をしたことが、ケア職や自治体職員などでの大量の女性の雇用をもたらした。さらに、急激な都市化に伴って都市部は住宅不足に陥り、高騰する住宅費のために共働きが不可避となった。

福祉国家としての基本的権利の確立や貧困の解消を目的として、戦時中から学校給食の無償提供や一部業界での産休制度が開始されていたが、母親への助成も拡大したことで、就業する女性が増えていった。他の北欧諸国と比べても、当時、フィンランドの女性の就業率は高い。

女性自身の意識にも変化が起きた。男性とほぼ同数の女性が高等教育を受けるようになり、自分で人生の選択をする自由ができたのだ。第3章で詳述するが、もともと授業料が無料で、安い学生ローンも用意されていたことに加え、1972年には現在のような無償の手当が支給されるようになったため、経済力や生活環境が理由で進学できないということもなくなっていった。

さらに、1960年代後半から、アメリカをはじめ先進国で、女性を不当な社会的束縛から解放し、女性に対する差別や不平等を解消しようという、いわゆるウーマンリブ運動が盛り上がった。フィンランドでも、男女平等に関する議論が国民の間でも広がり、権利拡大や平等実現を目的とした動きが活発になっていった。こういった議論は女性が政治に関心を寄せるきっかけにもなり、また女性の投票率が男性と並ぶ水準に達したことで、各政党は女性有権者の声を尊重する必要が生まれた。

実は女性が積極的に就労し始めた1960年代半ばでも、フィンランドではレストランに男性の同伴なしに女性だけで行くことは社会的に許されていなかった。既に就労人口の

41％を女性が占めていたが、彼女たちに支払われる給料は男性の6割に過ぎず、結婚と同時に勉強をあきらめる人も多かった。就労の有無にかかわらず、家事と子どもの世話が女性の本業とみなされていたのだ。

一方で、男性の肩には家族への経済的な責任が重くのしかかり、労災事故にあったり健康を害したりすることも多く、寿命は女性と比べてかなり短かった。そこで、女性の立場向上と同時に、男性も性別分業の概念を捨て、もっと自由に生きるべきだという意見も上がった。

中でも、保育は特に注目の議題だった。1969年時点では、フルタイムの託児・保育所の定員は、働く母親全体の約10％にしか対応しておらず、1973年には合計特殊出生率が過去最低の1・5にまで下がっている。さらに、60年代、70年代にはより良い生活を求めてフィンランドからスウェーデンへの大量移民が発生し、人口減少も引き起こした。

1970年の段階で、女性の就業率は56％。保育は誰の責任で、誰がその費用を担うべきなのかは明確になっておらず、子どもの面倒を見るのは母親の仕事だという考えも依然として根強く残っていた。そこで母親たちも自ら、子どもの預け場所がどうしても必要であると声を上げ、抗議やデモ活動を行い、保育所整備の問題は社会的論争になっていった。

1968年5月11日に行われた、自治体の保育所整備を求める抗議活動

(Yrjö Lintunen/Kansan Arkisto)

フィンランドにおける合計特殊出生率の推移

(1900～2020年、フィンランド統計局のデータを基に作成)

そんな状況を打開するためにつくられたのが、1973年の「保育園法（現在は幼児教育法）」である。これは、必要な数の保育所を整備し、保育士を確保する責任は「自治体」にあることを明確にした法律だ。

だが、法案成立後も自治体と国のバトルは続いた。少しずつ保育所の整備は進むものの、需要になかなか追いつかない。1980年の時点で、7歳未満の子どものうち自治体の保育所を利用できたのは4人に1人だった。地方議会によっては、保育所を利用する親の数を制限するため、所得制限の必要性や、3歳になるまでは母親が子育てに専念すべきだという「3歳児神話」を議論することもあった。

一方で、国は保育園法を二度改正し（1985年および96年）、全ての未就学の子どもには親の就労にかかわらず保育を受ける権利があるという「主体的権利」を明記した。これは、保育は働く親の利益のためにあるという観点から、子ども自身の利益や権利のためにあり、その機会は全ての子どもたちに平等にあるべきだと考え方が変化したことを意味する。法改正や不況が訪れるたび、一部の自治体は保育園法に反発し、時には国会内を二分する議論となったが、当時の社会保健大臣で後に史上初の女性大統領となったタルヤ・ハロネンの強い主張や、女性議員たちの力、それに賛同する男性議員が党を超えて結託したことで、保育の拡充が実現していった。

親を支える保育所

ここから、子育て世帯を支える現在の保育制度を紹介していこう。

フィンランドの保育には、日本の保育園のような「集団保育」と、保育士が自宅で自分の子どもを含めて4人までを預かる小規模な「家庭的保育」の2種類がある。

全体の約8割が集団保育所を利用しており、家庭的保育は7%ほどだ。家庭的保育は最近では減りつつあるが、家庭的な雰囲気の中で保育をするため、3歳未満の子どもを持つ親や、短期間だけ保育が必要な場合に人気がある。一方の集団保育所も、国の基準で3歳未満は子ども4人につき最低1人の保育専門職、3歳以上は7人につき1人以上の保育専門職が必要だと定められており、少人数制だ。他にベビーシッターや家族、親戚に頼るという選択肢もあるが、その割合はそれほど多くはない。

1996年に改正された保育園法に従って、自治体には全ての子どものニーズに応えられるよう保育所を確保する責任があり、夜勤やシフトワークによって昼間以外の時間に働く人のためにも保育所が用意されなければならない。保育の申し込みは通常4ヵ月前までに行わなければならないが、急な仕事や就学、資格取得等のために保育が必要となった場合には、2週間以内に自治体はサービスを確保する義務があると定められている。ただ、希望の保育所に必ず入れるわけではなく、エリアによってはギリギリの数しかないため、仕事の内容によっては優先順位がつけられて待たされることもある。

教育は大学院まで無料のフィンランドだが、保育は無料ではない。日本と同じく、料金は所得に応じた金額となっている。それでも、子どもの年齢にかかわらず、利用料の上限は月288ユーロ（2021年）と比較的手ごろな価格となっていて、逆に所得が低い場合は無料となる。また、保育所の朝食と昼食は無料で提供されている。朝食はおかゆのようなオートミールなどシンプルなものだが、ただ子どもを起こして連れていけばいいだけなのは楽だ。

ただし、朝食サービスを利用するには早くに行かなければならないため、私の友人の多くは家で食べさせた方がいいと、サービスを利用していない。さらに、保育所に預けられる時間は最長で10時間と決められているため、残業をしている余裕はなく、親は定時で仕事を切り上げて迎えに行くことが求められている。

保育所は、毎日フルタイムで利用する人もいれば、週に何回か、あるいは半日だけの利用の人もいて比較的多様だ。また、フィンランドでは障がいがある子どもも、そうでない子どもも、同じように共に学ぶことを目指すインクルーシブの方針を採っている。障がいがあっても地域の保育所に通えるし、健康上の理由で通うのが難しい場合は、自宅に保育士が来て幼児教育が受けられる。

しかし、全てがうまくいっているわけではない。緊縮財政による保育士不足は深刻で、2016年には3歳以上の子どもに対する保育士の割合を、従来の子ども7人あたり1人から、8人あたり1人へと一旦引き上げたり、親の就業状況によっては保育所に預けられる時間を制限したりした。しかし、2019年に社会福祉の充実を目標としている社会民主党が政権に返り咲き、人数や時間の制限は以前の状況に戻った。そうした動きの一方で、現在では保育の無償化や5歳からの幼児教育の義務化の議論も行われ、実際、全国規模の実証実験も行われている。

育休からの復帰を確実に保障

保育所と同じぐらい大切な親への支援制度が、「在宅保育の休業制度」だ。子どもが3歳になるまでは仕事を休んでも職場が確保され、復帰後に必ず同じポジションに戻ることが保障されるというものだ。

休業補償が出る育休は子どもが1歳になる頃に終わるため、通常はこれが仕事に復帰するきっかけとなる。しかし、この在宅保育の制度があるので、もっと子どもと過ごしたいと望めば、最長3年間、父親でも母親でも安心して休むことが可能だ。私の友人も、この育児休暇取得中に所属先の会社で大掛かりなリストラがあったが、「私が元に戻る権利は法的に保障されているから、絶対にリストラにあわない」と断言し、子育てに専念していた。

在宅で保育をしたら、その間には保育所を利用しないことになる。そこで、在宅保育をしている親に国からお金を給付する「在宅保育手当」も1985年に誕生した。この制度が生まれた背景には、施設での保育のニーズがそれほどなかった農村部から、保育施設を利用している都会の人たちにばかり税金が費やされ、自分たちには何のメリットもなく不平等だという訴えがあったことが影響している。都市部の自治体にとっても、手当を出すことで在宅保育が増えれば、保育所の利用が減るというメリットもあった。保育は自治体にとってかなりのコストがかかるので、在宅保育をする親には国からの在宅保育手当に加え、多くの自治体が独自に手当を支給してきた。

具体的には、国からの手当は3歳以下の子ども1人に対して毎月350・27ユーロ（2021年現在）。私の友人の場合は上の子も同時に在宅で育てていたため、自治体独自の保育手当などが加わると月あたり約6〜7万円ほどを受給していた。こういった手当は保育者が祖父母の場合でも受給可能だ。自宅での保育はお金をもらうのに値する立派な仕事であり、それは「自宅で保育という大変な仕事をしてくれてありがとう」という国による感謝のメッセージにも見える。

この在宅保育手当は給与よりは少ないが、無給になるよりはよっぽどいい。実際、2018年には82％の家庭が一定期間、在宅保育手当を利用している。一番多かったのは子どもが1歳半になるまで受給したというもので、最長期間の子どもが3歳になるまで利用する人は、年々減少していて約10％。利用者は決して多くはないのだが、休暇が切れるから、仕事がなくなるから、新学期が始まるから……と慌てて保育所に入れるのではなく、親と子どもの心と体の準備ができたところで預けることが可能になる制度だ。

実際、保育利用の割合を見ても、子どもが1歳未満で預けている家庭はわずか0・9％、2歳未満で36・8％だ。女性の就業率も、子どもの年齢が3歳未満の場合には48・2％と一時的に低くなる。これは他の北欧諸国と比べても、かなり低い。

2020年のフィンランドにおける子どもの年齢ごとの保育利用率

年齢	利用する子どもの数	%
0歳	425人	0.9%
1歳	16,971人	36.8%
2歳	34,653人	71.6%
3歳	43,455人	84.3%
4歳	48,306人	88.8%
5歳	51,824人	90.9%
6歳	48,495人	81.7%
7歳	1,126人	1.9%

※合計利用者数：245,255人　※6歳は午前中のみ就学前教育が義務

（THL:Varhaiskasvatus 2020を参考に作成）

年々、在宅保育の割合は減少し、女性の就業率は上がっているが、こういった制度が女性のキャリアの妨げになっているのではないか、という議論は常にある。在宅保育手当撤廃に関する提言は、国内外から聞こえてくる。この手当の利用者はまだまだ母親であることが多い。フィンランドの子ども家族を支える制度は、幼児の親に柔軟で幅広い選択肢を与えている一方で、現実には母親が自宅で保育をする方に向かわせているのではないかという批判は、ある面から見れば事実だ。そこで、ここ最近は自治体の保育手当は撤廃、もしくは支給期間を短縮する傾向にある。例えばトゥルク市では既に撤廃されているし、ヘルシンキ市は1歳まで、その隣のヴァンター市も

1・5歳までとなっている。

それでも、在宅保育制度の満足度は高い。しかもフィンランド統計局の調査によると、子どもが3歳以上になると女性の就業率が80%を超え、小学校に通う年齢になれば、89・4%（2019年）にまで上がることから、利用者は元の職場に復帰しやすく、社会も企業も2、3年の休職に対して寛容なことがうかがえる。

実際、私の友人は育休と夫の海外赴任への同行で合計6年間休職していたが、その間に会社が合併し、元いた部署がなくなってしまった。復職時にはどこかの部署に仕事復帰することもできたのだが、彼女は思いきって社内公募されていたポジションに応募して見事選ばれた。元の仕事よりも昇進した形で復帰したわけだ。同じように他の友人も、3人目の育児休暇を終えて、他社の部長職に応募して仕事復帰と転職、より責任のある仕事へのステップアップを同時に叶えていた。

産休・育休で欠員が出た場合、雇用主は代わりの人材を雇い、周りにしわ寄せがいかないようにするのが通常だ。しかもそれが半年や1年ではなく2~3年となれば、経験の浅い若者にとっては経験や実力をつけ、能力をアピールする好機になるし、企業にとっても新たな人材発掘のいい期間となり、うまくいけば正社員として採用する道も拓ける。

このように賛否両論ある在宅保育の制度だが、今のところは大きく変化する様子は見られない。ただ、今後は徐々に利用は減るのではないかと推測されている。いずれにしても、どの保育形態でも公的支援が得られ、親の選択肢が広いことはフィンランドの特長である。

共働きを前提とし、配偶者控除はなし

保育所の確保や在宅保育手当以外にも多種多様な支援制度がある。例えば、子どもが17歳になるまで一定額を支給する児童手当があるし、産休・育休も１９６０年代以降に充実し、父親も休暇が取れるように時代と共に変わっていった。

税制にも変化があった。１９７６年には扶養控除や配偶者控除を撤廃し、夫婦であっても一人ひとりに課税をする「個人単位課税」が導入された。これは配偶者の収入状況が自分の所得税に影響しないことを意味していて、日本のようにパートで働いて年収を抑えた方が世帯としては節税になるといった状況が成り立たないことを示す。それよりも男女にかかわらずフルタイムで仕事をし、納税することが求められるようになったのだ。

北欧諸国の社会に詳しい東洋大学の藪長千乃（やぶながちの）教授も私の取材に対し、「福祉国家と女性の社会参加の関係には、税制が影響している」「個人課税方式の導入で、専業主婦やパー

トで働くことへのインセンティブがなくなりました。実は、夫婦単位での税制は、いまだにヨーロッパでは多くの国で選択的に使用されています。日本は個人単位の税制となっていますが、扶養控除制度や社会保険制度での非課税配偶者の優遇など、実質的には夫婦単位課税に近くなっており、女性が補助的な労働者となることを固定化させています」と語ってくれた。

さらに、1970年代、職場での男女差別を禁止する法律ができたことで、女性は牧師や軍隊の幹部以外であればどんな仕事にも就けるようになった。現在は、全ての職業で性別による制限はない。

政治の世界でも、かつては社会保健大臣や教育大臣が女性議員のためのポストで、財政大臣や国防大臣は男性という暗黙の了解があったが、90年代からは女性も財政や国防の大臣職に就くようになり、男女間での暗黙の壁が壊れ始めた。また、大統領選にも女性が出馬して、男性候補者とほぼ変わらない投票数を獲得するようになっていった。

家事も育児も平等に

男性の家事・育児への参加を促すことも重要だ。フィンランドでも日本の産休にあたる母親休暇の終了後に、それとは別で育児のための「親休暇」を設けて、母親でも父親でも取得可能としている。だが、授乳の必要など様々な事情から取得者の9割以上は母親である。

そこで、父親だけが取得可能な最大約9週間の「父親休暇」が別個に設けられている（2022年秋以降変更）。これは2種類あり、①母親が休暇中でも取れるものと、②母親の復職後に取れるものがある。典型的な父親休暇取得のパターンは、①を出産直後に約3週間、②を母親が仕事復帰した後に他の休みとあわせて約2ヵ月利用する、というものだ。

フィンランドは里帰り出産の習慣がなく、出産時の入院期間も短い。出産後わずか1〜2泊で帰宅するケースも多く、父親もいち早く自宅で赤ちゃんと向き合っていく。こうした事情から、赤ちゃんの世話だけでなく家事全般において男性の役割は大きい。

私の周囲の男性は、子どもが生まれるとすぐに上司に電話して「生まれたので、今日から3週間休みます！」と伝え、「おめでとう！」と周りから祝福されていた。もちろん、この時に初めて休みを申請したのではなく、妻の妊娠がわかった時点で上司と相談し、事前に周りと仕事の調整をしている。妊娠がわかってから予定日までは何ヵ月も準備期間があるので、父親休暇の取得には今やほぼ障害がない。妊婦健診や両親学級を通じても、早いうちから赤ちゃんの世話に慣れ、父親と子どもがコミュニケーションを取り、新しい家族の形や絆（きずな）をつくることが推奨されている。
②の母親が職場復帰してから取れる父親休暇の取得率は、２０１６年の段階ではまだ45%とそれほど高くない。しかし、利用数は毎年確実に増加していて、取得した人は平均で約7週間ほど休んでいる。
教育レベルの高い家族は取得率がより高い。私の友人たちも何人かこの時期に休暇を取っているが、子どもの母親からは「職場復帰したばかりで体力的にも精神的にも大変な時期に、夫が家事や赤ちゃんの面倒を一手に引き受けてくれて助かった」「子どもにとっても父親がまだ自宅にいられてよかった」という声が聞かれる。

父親本人はどうかというと、「想像以上に大変でストレスがたまった。仕事をしている方が楽だと思った」という意見に続いて、「だからこそ、これまで1人で頑張ってきた妻を尊敬する気持ちが生まれた」「子どもの日々の成長を間近で見られてとても楽しかった」「子どもとの関係がより深くなった」という声も私の周りではよく聞かれる。

気になるのは、職場の上司の反応だろう。ある友人男性が2ヵ月の休みを申請した時は「長い人生の中で、子どもの成長はあっという間。ぜひそうした方がいい」と男性上司が言ってくれたそうだ。もちろん「上司が何と言おうと、これは親の権利。僕の権利として保障されているのだから、いずれにしても取ろうと思っていたけど」という友人もいた。

「父親休暇」が誕生した経緯

育休の一部を父親が取得してもよくなったのは1971年。父親だけが取ることのできる休暇が誕生したのは1991年で、当初その期間はわずか6日だった。その後、日数が徐々に延び、何回かに分けて取得可能にするなど、より利用しやすく制度が改定されていった。ちなみに1997年には、①と②のどちらか、あるいは両方の父親休暇の取得率は合計で43％。その約10年後の2008年には70％、現在は約80％になっている。

なぜここまで利用者が増えたのか。理由はいくつかあるが、一つは休暇日数が長くなり、柔軟性が高くなって取りやすくなったこと。もう一つは、1998年に当時の首相が自ら父親休暇を取り、2000年代前半には多くの閣僚も取得するなど、政治家が率先してロールモデルとなったことが挙げられる。様々なメディアが、父親休暇を取ることは子どもと父親の関係づくり、そして良好な夫婦関係にも有効であるといろいろな場で強調し、社会の認識が変わったことも大きい。

今の30～40代の、私の周りの男性たちは「僕だって子どもの人生に関わりたい」「母親と同じぐらいの存在感を持っていたい」「父親の権利を奪わないでほしい」「子どもと一緒にいたい」と口にする。

フィンランドにはイクメンという言葉はなく、今や、男性が子育てをするのは当然だとされている。女性を「手伝う」のではなく、父親として主体的に子育てをすることが普通になっているのだ。ヘルシンキ市のアンケート調査でも最近は、子育てはパートナーと半々で平等に分担したいと願う父親が増えている。

近年では、父親休暇を取った世代が管理職になっていることもあり、休暇取得は当たり前で、逆に取らない場合は、周りから不思議に思われるほどだ。もはや父親休暇がキャリアに影響することもない。

だが、それでもスウェーデンなど一部の北欧諸国と比べると、父親の育児休暇取得率はやや低い。特に長期間の休暇はまだまだ少ない。ノルウェーやスウェーデンは「パパクウォータ制」があり、父親が休暇を取らないと母親の休暇期間も減らされてしまう。対して、フィンランドは今のところ父親休暇の利用を義務としておらず、取らなくても何のペナルティもない。自営業や不安定な職にある人、さらにパートナーの給与が十分でなかったりする場合には父親休暇が取りづらいこともある。今以上に取得率を増やすには、取得条件を緩和し柔軟性をもたせて取りやすくすることと、さらなる上司の理解が不可欠だ。国立保健福祉研究所（ＴＨＬ）の報告書は、部下が長期で休暇を取った際に職場内の仕事をどう調整するか、といったことから、管理職の教育が必要だと述べている。

さらに現政権は、父親が取れる休暇の期間が母親より短いのは不平等だとして、期間を等しくする目標を掲げた。フィンランドでは育児休暇のことを母親休暇、父親休暇、両親のどちらでも取れる両親休暇と呼んでいたが、今度は家族休暇という名称となり、「１＋７＋７モデル」を採用した。最初の１ヵ月は従来的な出産前の産休にあたるものを用意し、出産後には母親と父親が７ヵ月ずつ交代で休みを取り、最大で生後約14ヵ月まで育児休暇を取得できるようにする、という仕組みだ。そしてシングルマザーの場合は両方を１人で取ることができ、14ヵ月後には今まで通り在宅保育をすることも可能だ。２０２２年９月からこの新たな制度の運用が始まる。この変化により、父親と母親がより平等になり、父親がさらに休暇を取りやすくなって子育てに主体的に関われるようになると期待されている。

柔軟な働き方も両立を後押し

フィンランドでは、10歳以下の子どもが急病になった場合には4日間まで看護休暇が取得できるが、こちらの取得率は男女で大きな差はない。意外に思われるかもしれないが、フィンランドには病児・病後児保育施設はほとんどなく、子どもが体調を崩した時に世話をするのは親の責任だと考えられている。しかし、その時に面倒を見るのは母親に限ったことではなく、共にフルタイムで働く2人がそれぞれの予定や仕事に合わせて、どちらか取りやすい方が休暇を取って対応している。ちなみに、両親以外に頼るのは1割で、そこにはベビーシッターや親戚、友人、自治体のファミリーワーカーなどが含まれる。

私が知る男性たちもよく、「子どもが熱を出したから」「子どもを病院に連れていかないといけないから」と言って突然休んだり、早退したりする。そんな時、周りは「大変だね。お大事に」とさらっと受け流す。決して、「奥さんは？」という人はいない。

現在フィンランドの男性が子どもと過ごす時間は1日あたり平均で4時間14分。2017年にOECDが発表した、親が子どもの育児に積極的に関わる時間についての調査では、フィンランドは父親の方が母親よりも1日あたり平均で8分長かった。父親の方が長い国はフィンランドのみだ。

また、日本企業が2018年に発表した、日本、インドネシア、中国、フィンランドを比較した調査によると、平日に父親が帰宅する時間は、フィンランドの場合は16時台が最多である一方、日本は22〜0時が最多となっている。平日に父親が子どもと過ごす時間については、フィンランドでは3〜5時間未満が46・6%だが、日本ではその割合は15・5%に過ぎず、1時間未満が35・5%もいる(ベネッセ教育総合研究所「幼児期の家庭教育国際調査」)。

フィンランドで父親がこれだけ子どもと時間を過ごせるのは、ワークライフバランスが整っているからこそだ。定時に帰り、有給休暇もしっかり取るから、フィンランドでは父親も積極的に家事や育児ができる。さらに、テレワークやフレックスタイムが普及し、柔軟な働き方が可能になっていることで、女性も男性も家庭と仕事の両立がしやすくなっている。現在フィンランドでは、フレックスタイムが9割の企業で採用されていて、新型コロナウイルスの感染拡大以前から週一度以上の在宅勤務が3割に達していた。管理職に至っては6割が在宅勤務をしていたという。

2020年春の感染拡大時は、緊急事態宣言後すぐに約6割が在宅勤務に移行した。これは欧州のどの国よりも多い数字だ。これだけ在宅への移行がスムーズだった理由としては、もともとデジタル化やＩＴ利用が進んでいたこと、柔軟な働き方への理解や知識が広く共有されていたこと、管理主義ではないマネージメントスタイルや、仕事内容や目標がはっきりしたジョブ型雇用が当たり前で在宅に適していたことなどが挙げられる。このような環境も、父親も母親も子どもに関する責任を等しく負い、仕事と家庭が両立しやすい状況につながっている。

さらに、フィンランドは離婚やパートナーとの別れが非常に多いのだが、たとえ離婚・別居しても、親権を共同で持つことが多く、元パートナーと可能な限り協力しながら子育てを行い親の責任を果たすことが奨励されている。

もちろん、子どもに危害を及ぼす危険性がある場合などは共同親権は認められないが、２０１９年のＴＨＬの統計では、93％の場合で共同親権が認められている。残りの割合は、6％が母親、1％が父親だ。普段は母親と一緒にいる子どもが、週末や長期休みの時だけは父親のもとで過ごしたり、習い事の送り迎えは別れたパートナーが担当したり、はたまた1週間ごとに父親と母親の場所を行ったり来たりするなど、やり方はそれぞれだ。

友人たちを見ていても、1週間ごとに独身生活が楽しめていいと言っていたり、父親の中には以前より密に子どもと関われるようになったと、共同親権を前向きに捉えている人もいる。逆に、どんなに元夫婦の関係にわだかまりがあるからといって、片方の親が子どもを独り占めすることはできない。父親にも母親にも同等に子どもと関わる権利がある。それは別れた当人たちにとって悩ましい状況を生む場合もあるが、どちらもできるだけ割り切って大人であろうとする。

また、親が離婚したからといって親戚との関係が疎遠になるわけではなく、これまでの関係もできるだけ大切にしていく。みんなが心穏やかであるわけではないだろうが、先日もフィンランドで友人のパーティーに出かけたら、ある女性の元夫と現在の夫が同席していて、その2人で仲良く話をしている姿に驚いた。3人はいずれも出張が多い仕事についていたそうで、子どもが小さかった時はそれぞれ協力し合って3人で子どもの面倒を見ていたという。子どもを中心とした輪と考えれば皆が同席していても不思議はないが、日本ではあまり見慣れない光景なので少しドキッとしたのは事実だ。

ちなみに離婚した夫婦が養育費の取り決めをした場合、万が一支払いが滞ったら、国が養育手当を支給する。

頑張りすぎず、自由におおらかに

共働きが当然のフィンランドでは、家事もパートナーと分担している。得意なことをそれぞれが行う場合もあれば、1日ごとに完全に平等に分ける場合もあり、各自やり方は様々だ。いずれにしても、相手が担当する分は信頼して任せ、互いに手の抜けるところは可能な限り抜く。

ここ10年ほどでフィンランド人もバラエティにとんだ食事をするようになり、食への興味や外食の回数も増えているが、普段の家での食生活はとてもシンプルだ。例えば、平日のフィンランドの夕食は仕事から帰ってきてすぐの17時や17時半頃。子どもがいる家でも、メニューはスープとサラダ、ピザ一品などシンプル。はたまたパンにチーズやトマトなど、自分の好きなものを載せるオープンサンドイッチのみ、と非常に簡単な家庭も少なくない。そして寝る前の20~21時に夜食で、今度はヨーグルトやちょっとした焼き菓子、パンなどを食べる。

フィンランドに行った当初は、食生活や母親の役割の違いは、正直言って大きなカルチャーショックだった。フィンランド人の友人が言った「学校の給食で温かく栄養のバランスが取れた食事を1日1回食べているから、他が質素でも大丈夫」という言葉にどんなに驚かされたことか。

友人たちの名誉のために言っておくと、どの母親も子どもに対する愛情溢れる素敵な人たちだし、親子関係も良好だった。しかも決して料理が嫌いなわけではない。週末になれば凝った料理を用意したり、手づくりのお菓子をたくさんつくったりする。

もちろん、料理をつくるのは母親だけの仕事ではない。父親の方が料理上手で頻繁につくる家もあるし、男性がパンやお菓子をつくっている様子も何度も目にした。事実、「母は料理が下手だしあまりつくらないから、母親の料理に対して何の思い入れもないのよね。父の方が美味しいし」という友人もいたし、「おふくろの味」なんてないという人もいた。

さらにフィンランドはコーヒー文化なので、食事はシンプルでもコーヒーのお供に手づくりケーキやお菓子が豪華に数種類並ぶ、という家庭も多い。ただ、日本人ほど栄養バランスや回数にこだわらない食生活をしていても、日本人よりもはるかに高身長で健康にたくましく育つフィンランド人を目にすると、元来の体格や体質によるとはいえ「人間、そこまで食事にこだわらなくてもちゃんと育つんだな」と妙に感心してしまう。

同時に、日本の親たち、主に母親へのプレッシャーの大きさと、それに応えるすごさにも感心せずにはいられない。フィンランドでは高校まで全ての学校で無料の給食が用意されているので、弁当を用意することもない。たとえ何かの用事で持っていくとしても、簡単なサンドイッチ程度だ。離乳食も、積極的に瓶詰めのベビーフードを利用するし、それをとやかくいう文化もない。公教育が子どもの栄養まで面倒を見てくれるというのは、想像以上に親の負担を減らすことにつながる。

気楽に生きるための工夫

学校に関して言えば、学校行事や親向けの説明会にも親の負担軽減の工夫が見られる。例えば、先生たちによる親向けの説明会は仕事の後に出席できるように、通常は夕方から開催される。第3章で改めて触れるが、連絡もプリントではなく、電子連絡帳で親に直接送られてくる。小学生が学校に持っていくものは少ないので、前日の夜に親が確認する必要はない。また小学生は宿題が少なく、夏期休暇の間は全く宿題が出ないので、親がチェックする必要もない。

それでも共働きの生活は忙しい。仕事から帰ってきて短時間で夕食を摂(と)り、子どもたちやパートナーと時間を過ごしたり、習い事の送り迎えをしたりして、もう一回の夜食、そして就寝という中では、できるだけ効率よく、時間をかけずに済ませようとすることになる。掃除だって毎日はできない家も多いし、家事サービスを利用する人もいる。時間がかけられるのなら手間暇をかけるのもいいが、限られた時間の中で全てをこなしていくのは難しい。だから手を抜けるところは抜いていいんだと、フィンランド人の生活を間近で見ていると感じる。それでも子どもは育つし、生活に問題はない、もっと気楽にいこうよ、と言われているような気持ちにさせられる。

また、「母親だって休暇が必要」という考え方が社会に浸透しつつあり、母親が旅行に出かけ、父親が1人で子どもの面倒を見る、という話も最近周りの友人夫妻からよく聞かされる。実際そういった休暇を取った友人たちは一様に「家事や子育てから解放されて、ものすごくいいリフレッシュになった」という。

限られた時間を何に使うのか、何に優先順位をつけるのか。それぞれが選択し、周りもおおらかに見守る空気が今のフィンランドには流れていることも、女性も男性も家庭と仕事を両立しやすくしている背景にある。

多様化する家族の形

フィンランドでは1985年から婚姻していても夫婦別姓が認められている。法改正時には家族の形が崩れるといった反対もあった。今は別姓の他に、それぞれの姓をそのまま使用できるのに加え、自分と相手の姓をつなげた新たな「複合姓」にするという方法もある。例えば、ヴィルタネンさんがキンヌネンさんと結婚すると、ヴィルタネン＝キンヌネンという姓にできるのだ。日本人から見るとやたら長く不便なようにも思えるのだが、自分の使い慣れた姓を捨てたくないし、結婚した相手の姓も名乗りたいという気持ちに応える折衷案だ。他にも夫婦が共に新たな姓を名乗ることも可能だ。それでも多くは夫の姓を取るが、最近は別姓も徐々に増えつつあり、その割合は結婚する夫婦の3割に上っている。

子どもはどちらかの姓を名乗ることになっていて、同じ家族のメンバーなのに別々の姓を持つことも普通だ。事実婚も増えていて、生まれてくる子どもの4割は事実婚のカップルのもとに生まれている。フィンランド社会は共働きが前提で、先述のように夫婦分離課税となっている。さらに子どもの権利に親の婚姻関係は影響せず、たとえ両親が結婚していなくても父親が認知をすれば父親の姓を名乗ることもできるので、婚姻関係は結ばずに家族として普通に暮らしていても違和感はない。フィンランド人カップルに会っても、2人が結婚しているのか事実婚なのかわからないし、子どもとの親子関係も姓をもとに推測することは難しい。長年の友人であってもどちらなのか知らないこともあるし、逆に言えばどちらでもいいということになる。

近年では離婚やひとり親家族、再婚家族も多く、家族の形が実に多様化している。２０１７年には同性婚が可能となり、レインボーファミリーも増えている。女性同士のカップルの４割が子育てをしていて、２０１９年時点で、レインボーファミリーで育つ子どもは１３６６人。ここ10年ぐらいの間にＬＧＢＴＱはよりオープンになり、周りもより理解が進んでいると感じる。

社会も多様な家族の形に寛容になってきている。ハロネン元大統領が１９７８年に未婚で子どもを産み、シングルマザーとして子育てとキャリアを両立させていた時のことをインタビューで聞かれた際には、「周りの目に、かわいそうなどといった偏見の色が見られなかったので、自尊心を失わずに前に進むことができた」と答えていた。友人を見ていても、兄弟や家族のメンバーの離婚や再婚を温かく見守り、受け入れているように映る。そんな様子を見て「本当はどう思うの？」と聞いてみると、「最近は珍しくないし、まあ本人が良ければいいんじゃないかな」とあっさりとした答えが返ってくる。

保育所や義務教育の現場でも家族の多様化は子どもたちによく語られている。片親だけの家族、父親が２人いる家族、海外からの養子を迎えて、見た目が全く違う家族もいる。中学の現代社会の教科書では、「家族」の項目に、家族写真として男性同士のカップルとアフリカ系の子どもが写っているものが使われていたり、「家族とは同じ冷蔵庫の食べ物を食べている人たち」と定義され、家族に正しい形はなく、子どもの有無や性別は関係ないと説明されていたりする。人それぞれ、家族もそれぞれ。多様化する家族の形に対して寛容でいる社会をつくることも、男女にかかわらず一人ひとりの生きやすさにつながっている。

仕事も家庭も趣味も勉強も

これまで述べた通り、フィンランドでは出産や子育てで一時的にキャリアを中断することはあっても、女性が定年まで働くことは当たり前になっている。子どもが生まれるからといって、仕事をやめるとか、ずっと主婦でいようという人はほとんどいない。自営業や農家であっても、女性の仕事はれっきとした報酬を伴う労働とみなされる。

そんなフィンランドの女性を見ていて思うのは、とにかく「貪欲」だということだ。「仕事か家庭か」という二者択一ではなく、「仕事も家庭も趣味も勉強も」と自分の興味や欲求を貪欲に追い求める。それは何も女性に限ったことではなく、フィンランド人全体に言えることではあるのだが、このいい意味での貪欲さは特に女性に顕著だと感じる。

以前、ある日本の視察団がフィンランドの女性グループに女性活躍へのアドバイスを聞いたところ「与えられたチャンスは自信がなくとも、とりあえずやってみること」との答えが返ってきたそうだ。どうしても日本の女性は、完璧にできる自信がないと一歩前に踏み出すことをためらう傾向があるように見えるが、「私はいいです」と遠慮してしまうのではなく、「やってみたい！」と上昇志向を持って失敗を恐れずやってみることが大切で、努力は無駄にはならないし、ダメなら戻ればいい——とその人は説明したという。他にも、仕事をしながら自分の能力を高め、仕事の幅を広げるために学びに積極的に取り組み、もし家庭のパートナーが協力的でなければ、別れて新しい相手を見つけなさい、とのアドバイスもあったそうだ。

こういう話をしていると、「男性はどう思っているのか、本当にそれで男性は満足なのか」と日本の方から聞かれることがある。私の見る限り、フィンランドでは「女性が稼いで頑張ってくれる方が、僕の負担が少なくなって楽」「お互い仕事もフルでしているから、家のことも2人で同じぐらいに分け合いたい」と語る男性が目立つ。

また、フィンランド人は高校を卒業すると、どんなに大学が家から近くとも、自立してひとり暮らしやパートナーとの同棲を経験する。当然、家事の経験もするので、多少の好き嫌いはあっても、家事が全くできない、という男性はほとんどいない。それに今の20～30代は共働きの親を見て育ってきているので、協力し合って生活することに違和感を持っていないように見える。むしろ何もしない男性はダメな男性のレッテルを貼られてしまうし、女性も男性に養ってもらうことを期待する様子はない。

フィンランドの人口調査機関は毎年フィンランドの「家族」に関して様々なテーマで調査報告しているが、2013年発表の夫婦関係や別れをテーマにした調査によると、女性が男性に求めるものは信頼、価値観の共有、尊敬、家族へのコミットメント、家事の同等の分担、強い愛情、問題解決能力、感情表現などで、経済力は入ってこない。さらに、カップル関係においては女性の6割が価値観の共有が大切だと答え、2人の時間を過ごすことを重視している。ちなみに同調査によると、離婚を切り出すのは女性が3分の2。そのうち3分の1は男性にとって突然だったという。自立した女性が多いフィンランドでは、愛情がなくなったらあっさりと結婚生活を終わらせてしまう傾向が強い。

フィンランドの女性活躍には、ここまで述べてきたような背景があるが、男女平等はあくまでも「人間的な権利、価値の平等」であって、ことさらに「女性活躍」といった言葉で表現することは少ない。価値も基本的権利も性別にかかわらず同等であることが大前提だ。そして男性も女性も性別にとらわれることなく、同じように社会でも家でも健康で幸せに過ごせて、自分の能力が発揮できることを目標としている。

フィンランドでも努力は続く

これだけ男女平等を実現しているフィンランドでも、いまだ問題点は山積みだ。一例が男性と女性の平均賃金の差で、女性の方が約16%低い。フィンランドは同一労働、同一賃金なので男女差はないはずだが、これだけ差があるのは、高額の報酬を得る役職に女性が少ないことと、業種によって性別の偏りがあること、そして子育てがまだ女性により多くの負担を強いていることが原因だと言われている。

例えば、給料が高いエンジニアの職種には、エンジニアリングを勉強した男性が多く、女性はどちらかというとサービス業などに多い。こういった偏りを改善するためにも、もっと理系分野や経営学を学ぶ女性を増やすよう努力すべきだとフィンランド商工会のレポートは述べている。

逆に、現在医学部や獣医、歯学部の学生は圧倒的に女性が多く、看護や薬剤師などの医療系も女性優位だ。小学校の教師養成も圧倒的に女性が多く、職業による偏りは顕著だ。

教育においても、博士号を取得するのは現在では女性の方が多いが、まだまだ教授や研究者は男性の数が多い。

さらに、2010年代後半から、世界中でセクシャルハラスメントの被害経験をSNSで告白する#MeTooムーブメントが起きたが、フィンランドもその例外ではなく、驚くほど多くの女性が声を上げた。

女性に対する暴力の報告件数が多いこともフィンランドが抱える深刻な問題の一つだ。EUが2014年に発表した調査結果によると、何らかの精神的・身体的暴力を受けたことがあると回答した15歳以上の女性は、フィンランドでは47%に上り、EUに加盟する28ヵ国中ではデンマークに次いで2番目に多かった。ヨーロッパの平均は33%である。フィンランドでパートナーから身体的暴力を受けたと回答した人は27%、パートナー以外による身体的暴力の被害者は30%だった。

フィンランド統計局の調査によれば、2020年に当局に報告された家庭内暴力の被害者は男女合わせて1万8800人。被害者のうち約7割が女性だが、男性被害者の数も少なくない。また被害者の21%は未成年者だった。さらに、報告された家庭内暴力及び親密なパートナーからの暴力のうち、約4割は夫婦（事実婚も含む）間の暴力であった。

実は、２０１１年に施行された法改正によって、報告される暴力の件数が大幅に増加している。未成年者や近親者に対する軽度の暴行も正式に起訴されるようになったためだ。

このように、フィンランドで暴力被害が多いのは、家庭内暴力が広く認知されるようになり、勇気を持って被害を訴える人が増えたためだ、とも言われる。だが、多くの人が被害にあっていることは事実である。そして暴力の要因は精神的なもの、アルコール、薬物依存、失業や仕事、経済的なもの、夫婦間のストレスなど様々だ。

対策の一歩は、被害者が自分が受けているのは暴力であると認識し、それを誰かに話せるようになることなので、自治体が運営する相談所や、子どもの健診を担うネウボラなど（第2章で詳しく説明）、相談しやすい環境を整え、さらには学校で夫婦間・恋人間・親子間の暴力について教えている。被害にあった人たちを一時的に保護するシェルターの数も現在では増えている。運営資金は２０１５年から政府の公的資金でまかなわれ、居住する地域と関係なく、空いていれば全国の施設が利用できる。また、加害者側との話し合いやカウンセリング、連鎖を断つために暴力的な環境で育った子どもたちへのケアも積極的に行われ始めたが、まだまだシェルターの数も資金も不足している。ハラスメントと同様、より効果的なサポート体制の構築が必要とされている。

最近は、ＬＧＢＴＱや障がい者の権利の平等について語られることも多くなった。男性、女性といった性別ではなく、全ての人が平等に扱われるべき、というように広い視野で捉えて検証や対策がとられつつある。

第2章
子ども家族を支えるネウボラ

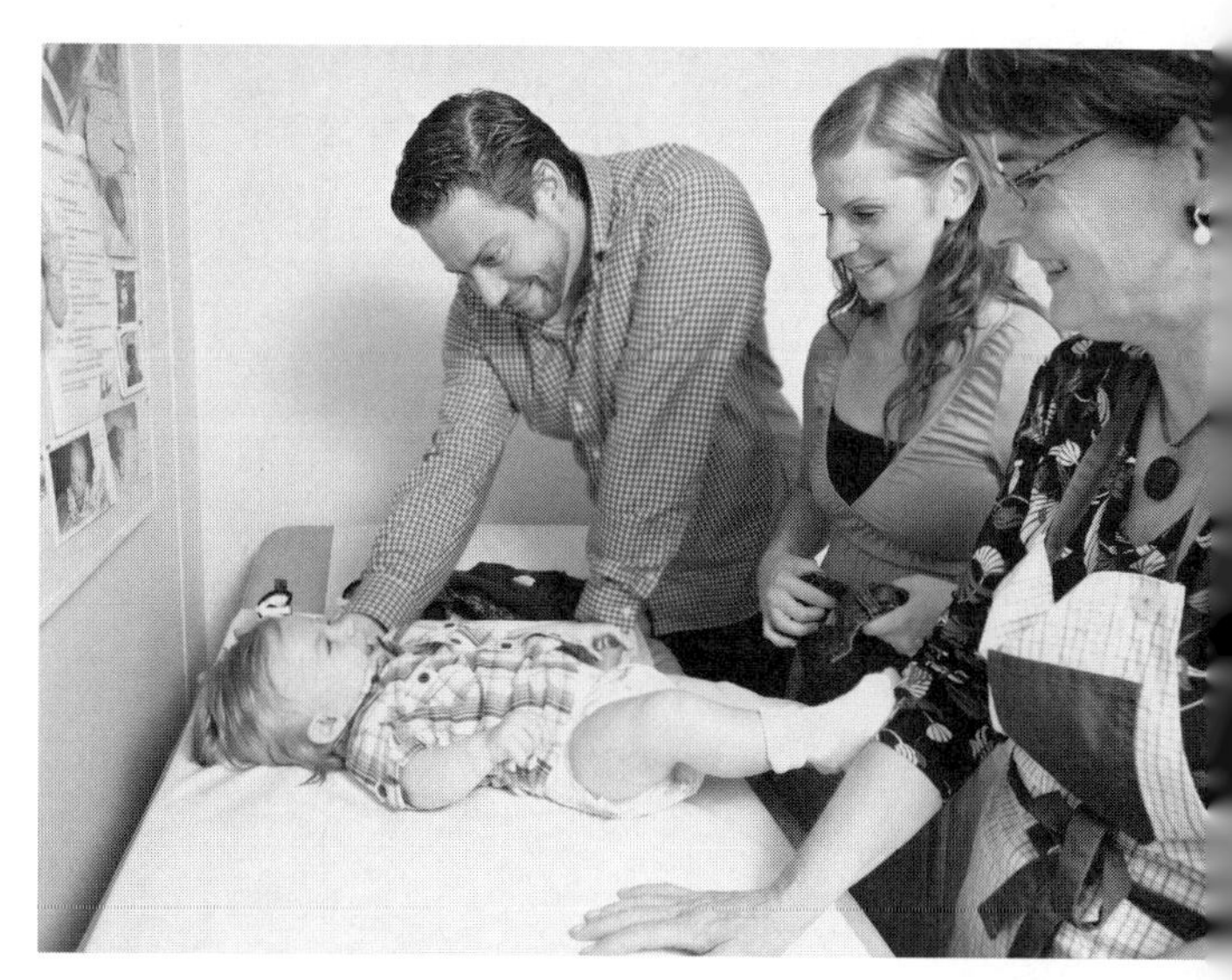

妊娠期から幼児期までの子どもと親の支援を行う拠点・ネウボラ。誰もが無料で利用できる（Kimmo Brandt/City of Helsinki）

皆さんは「ネウボラ」という言葉を聞いたことがあるだろうか。新しいボランティアのこと？　と日本の友人から聞かれたことがあるが、ネウボラ（neuvola）は、フィンランド語で「アドバイス（neuvo）の場（la）」という意味だ。

フィンランドの各自治体には、ネウボラと名のつく保健福祉の支援拠点がいくつかある。日本の保健所や福祉施設とも通じるものがあり、出産、子育てから、心理カウンセリング、避妊や不妊に関する相談、離婚や非行といった家族の問題など、様々な相談内容に応じて複数のネウボラが存在する。その中でも「出産・子どもネウボラ」が今、日本で大きな関心を呼んでいる。なぜ日本で注目されているのだろうか。

ネウボラとは？

出産・子どもネウボラは、妊娠期から学校に入学するまでの子どもの成長・発達の支援と、母親、父親、兄弟などを含めた、家族全体の心身の健康サポートを行っている。簡単に言うと、日本の産婦人科のクリニックと自治体の保健所が一体になったようなもので、妊婦健診、子どもの定期健診、発達相談、両親学級、予防接種、歯科検診、様々な健診と相談が全て一ヵ所でできる。日本でも最近聞かれる「切れ目のない子育て支援」という言葉をまさに体現しているのがネウボラであり、フィンランドではどこに住んでいても誰でも無料でアクセスできる自治体サービスだ。

このネウボラが、日本でも子どもや妊産婦に関する様々な問題への処方箋として注目を集めており、これを参考にした取り組みが「子育て世代の包括的支援」という言葉で全国の自治体で導入され始めた。日本の厚労省も2020年度末までの全国展開を目指していた。厚労省のウェブサイトを見ると、2020年4月の報告に全国1288の自治体で子育て世代包括支援センターが設立されたと掲載されている。

では、具体的にネウボラとはどんなところなのかを見ていこう。

フィンランドでは妊娠が判明したら、自治体のホームページなどで自分の住む地域のネウボラを調べ、予約を入れて健診に行く。ネウボラはどの自治体にもあり、健診は無料だ。決して法律で決められた義務ではないのだが、国立保健福祉研究所（THL）の調査によれば99・7％の人たちがネウボラの健診を受けている。これだけ利用率が高いのは、たとえ想定外の妊娠でも「とりあえず妊娠したらネウボラに行こう」という意識が国民に浸透しているからだろう。また、健診を受けていない0・3%の人たちについても、各自治体はその理由を調べる必要がある。全ての住民にはサービスを受ける権利があるからだ。何か正当な理由があって健診に来ないのならいいが、理由によっては来るように促し、何らかの懸念があるケースでは関連機関や警察とも情報を共有する。

ところで、通常フィンランドで医者にかかろうと思ったら、まずは地域の公共保健センターに予約を入れ、総合診療医に診(み)てもらう。私立のクリニックもあるが、その数はごくわずかだ。大きな病院に行く場合には、地域の診療医の判断を経てからとなる。妊娠や子育てに関しても、出産・子どもネウボラがまず窓口となり、問題がなければ出産行為以外のほとんどのことがここで済むようになっている。このネウボラはだいたい小学校区に一つぐらいの割合であり、利用者にとってはアクセスも悪くない。

ネウボラで母子への対応を行うのは、基本的に保健師や助産師といった専門職員で、かかりつけ制をとっている。妊娠期間中から出産直後まで約11回、その後も子どもが小学校に入学するまでさらに15回ほどネウボラに通うが、その間、基本的にはいつも同じネウボラ職員が寄り添ってくれる。途中、医師や歯科医師がやってきて健診を行う時があるが、その時もネウボラ職員が同席、もしくは情報共有をしている。

ただ、担当者が休暇のために一時的に替わる場合や、退職や転職もあるため、7年間ずっと同じ人に担当してもらえるとは限らない。それでも、基本的には同じ人が継続的に関わることで、互いの信頼関係が築きやすくなり、問題の早期発見、予防、早期支援につながる。中には親戚のように感じている人もいて、フィンランド人は担当職員のことを、親しみを込めて「ネウボラおばさん」と呼ぶ。

対話と連携を大切に

健診は毎回事前予約制。ひと家族ごとに完全プライベートな個室が用意され、1回の面談は30分から1時間ほどかけて丁寧に行う。妊娠中であれば血圧測定、血液検査、尿検査といった母子の状態の医療的なチェックや栄養指導が行われ、出産後であれば母親の快復や健康状態を観察するのに加えて、子どもの心身の発達状況を様々なテストをして確認する。

こういったチェック自体は30分もかからず、残りの時間は対話に費やされる。事前に記入するアンケートなども使いながら、出産や育児、家庭に関する様々なことを語り合う。持病や心身の不安材料はないか、夫婦関係はどうか、上の子どもたちは新たに生まれてくる子どもをどう思っているのか、仕事はどうか、今抱えている悩みはあるか、生活状況はどうか、何かあった時に相談したり頼ったりできる人が周りにいるかなどだ。

アンケートには「夫婦喧嘩をしても仲直りできているか」「自分の親とは、親としての経験について話したか」「家族にユーモアのセンスがあるか」「パートナーとどんな子育てをしたいか」など、かなり人間関係や私生活に突っ込んだ項目もある。気になることがあれば、それについて話し合い、必要があれば担当者からアドバイスをしたり、公的支援を紹介したりする。また、ネウボラは医療機関の窓口としての役割も担っていて、出産入院のための病院指定、さらにはより高度な医療機関や専門家の紹介もしてくれる。

ネウボラは出産施設ではないため、出産は各自治体指定の医療機関で行われる。出産施設とネウボラは、本人の許可を得たうえで情報の共有や密な連携を行うため、いざ出産となって病院に行くと、これまでのデータや経緯、希望する出産方法などが共有されている状態にある。

通常の出産であれば1~2日で退院となり、入院期間は非常に短い。産後数日以内に行われるネウボラおばさんの家庭訪問では、母親だけでなく父親にも同席してもらい、順調に家族としてのスタートが切れているかどうか、母親と赤ちゃんの健康状態に問題がないか、そして父親や他の家族の様子がどのようであるかを確認する。必要に応じて、具体的なアドバイスも行う。

その後、子どもが1歳になるまではネウボラでの健診がほぼ毎月のように入っている。というのも、この期間は大きな変化が起きやすい時期だからだ。健診では新生児の身長体重測定や、健康状態の確認、予防接種、発達状態を測る様々なテストを行いながら、親の精神状態や健康状態も探っていく。1年を過ぎればしだいに回数は減っていくが、保育士とも連携しながら、健診は小学校に上がるまで続く。

ハードルが高くなくて相談しやすい

ネウボラ利用者が口を揃(そろ)えて言うのは、とにかく「どんな相談もしやすい」「ハードルが高くない」ということだ。妊娠期間中も様々な話をしてきたために信頼関係があり、毎回個別にたっぷりと時間を取ってくれているので、ちょっとした質問もしやすい。

初めての子育てはわからないことばかりで、ちょっとした疑問が次から次と湧いてくる。耳掃除の正しい仕方は？　鼻水が時々出ているのは風邪なのだろうか？　離乳食はいつから始めたらいいのだろう？　飛行機に乗っても大丈夫だろうか？　夜泣きが多いような気がするけれど？　発話が少ない気がするが？　寝る時の姿勢はこれでいいのだろうか？

　いずれも忙しい医者に相談するほどの緊急性や重大性はないように見えるかもしれないが、こうした些細なことを、経験豊富な人に気軽に聞けるのは大きい。急いで確認したい場合は電話相談日に聞くこともできる。

　今の時代、インターネットや雑誌にはたくさんの育児情報が溢れているが、それは本当に正しいのか、という疑念はぬぐえない。専門家のネウボラおばさんに情報の交通整理をしてもらえるのは、安心感がある。

　自治体によっては「オープンネウボラ」の日を定期的に設け、健診日以外でも事前予約なしで検診や相談ができるようになっている。それ以外でも、全国ホットラインに電話をかけて相談することもできる。一時的に海外などに住んでいる場合には、自治体によってはメールで担当者に相談することも可能だ。

「『こんなバカな質問をして』と思われそうなことも、ネウボラおばさんには安心して聞けるんです」という声を頻繁に聞く。他にも、「専門家に子どものことも私のことも大丈夫と言ってもらえて安心した」「1人ではないと感じられる」「家族のような存在だが、家族ではないからこそ夫婦の問題も相談しやすい」などと満足度は高く、出産後の利用率もほぼ100％に近い。

小さな悩みでも、積もり積もれば大きな悩みや不安になり得る。それを一つ一つ聞いてもらい、信頼する人から言葉がもらえる安心感は計り知れない。しかも、健診ではいつも胎児や母親のお腹（なか）、子どもの検査をしながら会話が進むので、相談と言っても堅苦しい雰囲気はなく、温かな空気が流れ、まるで雑談をしているかのように感じられる。

ネウボラを中心にした支援体制

中には、健診で30分や1時間、何をそんなに話すことがあるんだろうと思う人もいるかもしれない。ちょうど出産に備えてもうすぐ産休に入る妊婦さんの健診に立ち会ったことがある。以下、その時の様子を簡単に紹介していこう。

担当のネウボラ職員は保健師の資格を持つ人で、「体調はどう？」という質問をした後、より具体的にお腹の感じや体に出ている症状について確認する。そこから、職場や仕事の状況、今の気持ち、上の子どもの様子や夫との関係、出産後どんな風に2人で家事や子育てを行おうと考えているのかの具体的なプラン、出産に向けての準備状況、陣痛や授乳の知識など、これでもかというほど次から次へと質問を投げかける。その間に医療的なチェックも並行して行われる。母親はそれに答えながら、「第二子の場合は陣痛が始まってどの時点で病院に行った方がいいのか、お産は第一子の時と違うのか」といった質問を返していた。さらに保健師からは、普段の生理や今後の家族計画、避妊をどう考えているかといったことについて質問があり、様々な避妊具を実際に見せながらそれぞれのメリット、デメリットに関する説明が始まった。

面談の後で、保健師に質問の意図を尋ねると、出産後は肉体的な疲労から何も考えられない状況に陥るので、家族計画や避妊方法の選択については、まだ余裕のある出産前に考えてもらったり、家族で話し合ったりしてもらうのがいいという回答が返ってきた。同じく出産直後にパニックにならないように、授乳や産後うつなどに関しても妊娠中に情報をきちんと伝えておくことが大切だそうだ。一通りの話を終えて、時計を見てみれば、既に健診開始から1時間が経とうとしていた。

出産後もネウボラは子どもと親の健康を見守る拠点となる。予防接種、歯科検診、子どもの心身の発達検査、そして必要に応じて両親学級がここで行われている。一ヵ所の中で検査も相談もでき、妊娠期から事情を知っている担当者が見守ってくれているのはとても便利だ。THLの研究調査によると、かかりつけの定期健診によって支援の必要性が早期に判断でき、より的確な支援が可能になっているという。

的確な支援ができるのは、ネウボラが関係各所や専門家と確かな連携をしているおかげでもある。妊娠中も出産後も、より高度な検査や何らかの専門家の力が必要だとネウボラ職員が判断すれば、心理士、言語療法士、運動療法士、小児科医、産婦人科医、ソーシャルワーカーなどとつなげていく。

例えば、親に精神的な不安定要素や病があると感じた場合には、心理カウンセラーとつなげる。子どもの言語発達が遅れている場合は、言語療法の専門家につなぐ。保育所で保育士が「この子はもしかしたら何か発達障がいがあるかもしれない」と思えば、親にネウボラへと相談しに行くことを勧める。ネウボラ担当者は状況を見ながら、適切な専門家につないでいく。たとえ著しい問題や悩みがなくとも、「こんな集まりがあるから行ってみたら？」と様々な有益な情報を提供してくれる。ネウボラのかかりつけ担当職員は1人でも、そのバックにはたくさんの専門家や機関がついていて、チームとなって子どもと親の成長を見守っている。

THLの調査によると、何らかの専門的支援が必要なケースは利用家族全体の約2割だという。程度や理由は様々で、ある友人の子どもは、言葉の発音に問題があると言われ、言語療法士に通うことを勧められた。ただ、それほど深刻な問題ではなかったのと、言語療法士も忙しく予約を入れづらかったので、通わずに親が対応した。

もう1人の友人は妊娠期間中に感情のコントロールが難しくなったため、心理療法士を紹介してもらい、何回かカウンセリングを受けて、重症化する前に復活することができた。他には、子供に発達障がいが疑われ、専門の先生たちを紹介してもらい、検査を経て早いうちに療育を始められたケースもある。

ネウボラ利用者のデータはその人が亡くなるまで保存されるため、過去の履歴を親の支援や医療機関との連携に活用することが可能で、効率的に子どもとその家族の支援ができる。また、家族が引っ越す場合も、本人の承諾を得て、情報は引っ越し先の担当ネウボラと共有する。フィンランドでは1960年代から個人識別番号が普及していることもあり、電子カルテやデータの共有がしやすい。そして子どもが小学校に上がる際にはネウボラの記録が学校のスクールナースに引き継がれる。

目的は死亡率の改善から家族全体の支援へ

出産・子どもネウボラの歴史は戦前にまでさかのぼる。ロシアからの独立を果たしてもなお1920年代のフィンランドは非常に貧しく、乳幼児の死亡率も高かった。そこで、少しでも命を救おうと、小児科医のアルヴォ・ユルッポが子ども病院を設立、妊婦健診を推奨した。これがネウボラの原型で、その後、各地にクリニックが広がり、1944年にネウボラは法制化され自治体の管轄となった。

現在、フィンランド全国には800を超えるネウボラがあり、乳児死亡率は世界でも最も低いレベルにある。ネウボラの運営は各自治体に任されているが、THLが政策立案や法改正の提言、指針づくり、全国のネウボラのモニタリングや人材育成・研修をリードしている。

フィンランドも核家族化が進み、今では3世代同居は非常にまれである。近くに自分の両親や家族・親戚がいない人たちも多い。そのため子育てを手伝う機会は減っていて、日常的に子どもと触れ合う機会がほとんどない人たちが突然、子どもを持って親になることも少なくない。国際結婚や再婚したカップルから子どもが生まれるケースも増えていて、家族の形も価値観も様々だ。だからこそ、気軽に相談でき、親になるカップルを励まし応援してくれるネウボラの存在感は、これまでにも増して大きくなっている。

最近では母子だけではなく、父子の関係性にも注目した親の支援や、父親の育児推進もネウボラの重要な役割となっている。20年ほど前までは男性にとって健診の付き添いは居心地の悪いものだったようだが、現在は妊婦健診や出産後の定期健診に父親が一緒に来ることが推奨されている。また、対話の際には母親だけでなく父親の気持ちを聞いたり、男性にもわかりやすく女性の妊娠中の心身の変化や子どもの状態について話したりすることも行われている。

実際に私の友人夫妻も、妻は妊娠を前向きに捉えていたが、夫は不安やとまどいを強く感じていたという。それでも、ネウボラおばさんが妻よりも夫により多くの時間を割いて対話をしたことで、前向きな気持ちで父親になることができた。

妊娠・出産による変化を自らの体で実感する女性と違って、親になる実感を今ひとつ得られないという男性は多く、子どもが生まれてからの生活を想像できない男性もいる。ある友人男性は、妊婦健診に一緒に行くことで、妻への認識が「ただの機嫌が悪くて疲れている人」から、「ものすごい変化が起きている人」に変わったと語ってくれた。「機嫌が悪いのは僕に怒っているんじゃないと気づいたし、妻を尊敬する気持ちとか親になる自覚が芽生えた」と理解が深まったという。また「母乳は出ないけれど、男でも子育てはできると信じられるようになった」と語った男性もいる。

別の男性は、夫婦でネウボラに通うことで情報量に差が出ないようにするのが重要だと、自身の経験を振り返っていた。「妻の方が世話の仕方に詳しかったりすると、夫の方は追いつくのも大変だし、あれこれ指摘された時に素直に話を聞けないこともある。妻と夫の2人で知恵を出し合って課題を乗り越えていくことが大事なんだと思う」。

ネウボラは、男性に対してもパートナーと子どもへの理解をより深め、自信を持って父親になれるよう背中を押してくれている。また、産後うつのサインや対処方法を事前に知っていれば、早期に気づき、対応もしやすくなる。

フィンランドの2018年のYLEニュースやTHLの論文によると、男性も女性と同じく10%程度は産後うつになり、うつまでいかなくとも約半数の男性は気持ちの落ち込みを感じるという。要因としては、子どもの母親との関係に自分がうまく入り込めないことや、生活の変化へのとまどい、自信の喪失などがあるそうだ。だからこそ、ネウボラの健診では父親も対象とする必要があるのだ。

ネウボラで開かれる両親学級には父親も参加し、先輩家族や職員から具体的なアドバイスを聞く。自治体によっては、父親だけを招く会を設けているネウボラもある。女性はママ友をつくったり、友人たちと子育ての悩みを相談したりしやすいことが多いが、父親は比較的そういったことを苦手としている人も多い。そのため、フィンランドではネウボラに限らず、父親だけを対象に子どもとの遊び方やコミュニケーションの取り方を教え合う会を設けることが増えている。

なお、ネウボラは平日の日中しか開いていないので、健診に行くには仕事を早退するなどのやり繰りが必要になる。といっても、様々な場所で「子ども一人ひとりが大切な宝」と謳(うた)われ、子どもを大切にする意識が浸透しているフィンランドでは、職場も温かく送り出してくれるケースがほとんどだ。

フィンランドでは籍を入れない事実婚が増えており、最近では生まれてくる子どもの4割が事実婚夫婦からだ。その場合でも認知をすれば父親との法的な親子関係も保障される。以前は行政の役所でしかできなかった父親の出生前の認知手続きも、2015年からはネウボラで済ませられるようになった。「子どもに関する手続きや悩みは、とりあえずネウボラに行けば何とかなる」。現在のネウボラは、そんな便利な場所になっている。

早期支援や予防的支援を目指して

ネウボラは、児童虐待や夫婦間DVの予防的支援にも重点を置いている。カウンセリングでは、妊娠中から毎回のように、「DVや虐待の被害者になったことはないか」「加害者になったことがあるか」を時には直接、時には間接的に、全員から聞く。

母親は妊娠中や出産直後、ほぼ毎月のように担当保健師と顔を合わせる。だが、中には10回以上会っていても、なかなか信頼関係が生まれず、本音を語らない人もいる。たとえ信頼関係があったとしても、1回で「実は……」と告白してくるケースは少ない。何度も繰り返し尋ねているうちに、DVや虐待についてポロリと漏らす場合もある。言葉では否定していても、何かサインを出してくる可能性だってありうる。そういったサインをできるだけ見逃さず、ネウボラ、民間団体、保育所、学校、児童相談所、福祉関係者、警察などが連携して早期支援につなげていくのだ。

また、どんなに問題がなさそうに見える家族でも、親と子どもを別々にして、それぞれから個別に話を聞く時間を設けている。フィンランドでも残念ながら虐待はあるのだが、子どもが死亡に至るケースは非常にまれで、通常はそうなってしまう前に手を打つ。また、妊娠中から支援をするため、乳児の置き去り、生み落としといったことは皆無に等しい。

1983年、虐待に関しては、親子間であっても体罰が法的に禁止され、その周知が徹底されたことも減少に影響している。1980年代初頭は親の約半数が体罰を容認してい

フィンランドで体罰に対して肯定的な人の割合

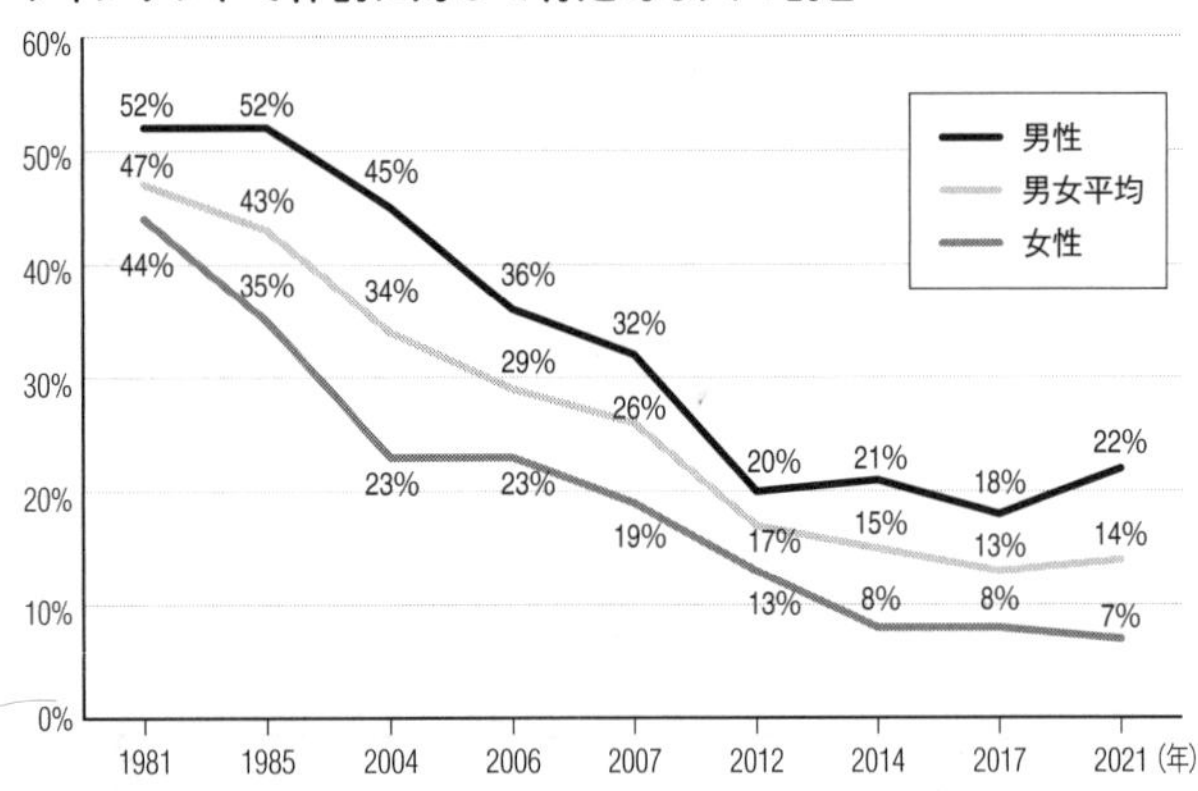

(Lastensuojelun keskusliitto: Kovemmin käsin-Suomalaisten kasvatusasenteet ja kuritusväkivallan käyttö 2021掲載の図を基に作成)

たが、２０２１年に発表されたフィンランド児童保護中央同盟の最新の調査では、肯定したのはわずか14％だ。

　時代や利用者の声を反映した新たな試みも始まっている。２０１１年から通常の健診に加えて、新たに「総合健診」がネウボラで始まった。これは母子だけでなく父親も対象としており、家族全員の心身の健康と生活状況を探るというものだ。子どもが生後４ヵ月、１歳６ヵ月、４歳の時には父親にも同席を求め、面談のうえ、生活習慣、親子関係、夫婦関係などをヒアリングして支援の必要性を探る。ここでも事前の問診票記入が求められ、例えば4歳の時には、子どもが普段どのように誰と遊んでいるのかなど、親から見た子どもの様子が伝えられる。保育所に通っているなら、担当保育士が同様の質問に回答し、そして医師の所感、ネウボラ担当者の所感もそこに加わり、子どもの行動や状況を多面的に見ていく。

この制度の発端は、子どもの健康と幸せのカギは両親の健康と幸せにあることが、THLの研究からわかったことだった。両親の状況を知り、彼らのストレスを減少させることで、家庭崩壊や家庭内暴力などの問題を防ぐことができる。この総合健診によって、今まで以上に早期での的確な支援が可能になっているという。また、様々な方向から見ることによって、子どもの様子が一層わかりやすくなった。まさに、フィンランドの医療や福祉でよく強調される「予防的支援」に結びつきやすくなったのだ。

何かが起きてから対処していては遅すぎるうえ、時間やお金がかかってしまう。問題が起きる前にリスクの芽を摘み取り、支援することで予防し、問題を発生させない、もしくは最小限に抑える。これが予防的支援だ。

フィンランドの子育てや手厚い公的支援にはこの予防的支援、早期支援の考えが深く関わっている。その背景には、子どもに早期に投資をすればするだけ将来的には社会全体にとって大きな利益がもたらされるという信念がある。これはノーベル経済学賞受賞者のジェームズ・ヘックマン氏の研究でも裏づけられていて、幼児期、さらにはそれ以前の投資は、早ければ早いほど費用対効果が大きいとされる。

早いうちにお金と手間をかけることで、550万人の国民一人ひとりができるだけ健康で幸せに育ち、自立し、能力を高め、それを活かして社会生活を送って納税してくれれば、国の繁栄にもつながる。長い目で見れば、それが一番効率が良いというのがフィンランドの考え方のようだ。

上から目線にならず対等に、レッテルは貼らない

日本でネウボラを紹介すると必ず出てくる意見が、「ネウボラおばさんに負担をかけすぎではないか」「そんなに能力のある保健師は日本にいない」といったものだ。ネウボラおばさんというと、まるで経験豊かで高齢の女性のように思えるが、職員の中には保健師になりたての20代の若い女性もいるし、自身では子育て経験のない人もいる。そういう人がネウボラ職員としてふさわしくないかというと、決してそうではない。意外と「一生懸命、親身になって、話もしっかり聞いてくれる」と言われていたり、「わからないことは調べてきちんと教えてくれる」「同年代で話しやすい」と好評だったりする。

フィンランドにはネウボラおばさんについての口コミサイトもあり、古い価値観を押しつけようとしてきたり、「またその質問？」などと嫌そうに話を聞いていたり、やたらと杓子定規(しゃくしじょうぎ)にこだわる職員に対する悪口が並んでいる。私の友人夫婦も、担当の人がベテランで話しづらいと感じたため、新しいネウボラおばさんに代わってもらっていた。もちろん専門知識は重要だが、それと同じぐらいに相性や対話への姿勢も重要だということだ。

実際、ネウボラおばさんに、仕事をするうえで何を大切にしているのか質問すると、「上から目線にならないこと」「先入観を持たない、きめつけないこと」という答えが返ってきた。もちろん、エビデンスがあることなら具体的なアドバイスや指導をすることもある。だが、何でもかんでもネウボラ職員が「指導」するわけではない。基本的に子育ての責任や選択の権利は親にある。その親がきちんと親になれるよう、持っている力を引き出し、導き、励ますのがネウボラ職員の役目だ。だから全てを助けるのではなく、本人ができるだけ自分で解決する「自助」を目指していく。

例えば、出産後の夫婦に心境を聞いた時、ネガティブな答えが返ってきたとする。担当職員はそれに対して「ああしなさい」「こうしなさい」と指示を出すのではない。どうしてそう思うのか理由を聞き、「夫婦で話し合いましたか」と尋ねる。まずは言語化を促し、問題のありかを自覚させ、解決法を共に考えるのだ。もちろん、明らかに命に関わるリスクがあれば即座に介入するが、そうでなければ本人たちの希望を優先させ、問題を整理して本人たちが自力で解決できるようサポートする。そして専門家による検査や助けが必要な場合は、関係機関につないでいく。

ネウボラおばさんも、以前は一方的に指導することが多かったそうだが、90年代からは傾聴に重きを置き、親たち本人に語らせることを重視している。ネウボラの研究や法整備への提言などをしているTHLのトゥオヴィ・ハクリネン博士は2018年に日本で開催された講演会で次のように語った。

「上から『こうしなさい』『ダメ』という方が、簡単で時間もかからないし、担当者にとってよっぽど楽なのは確かです。でも、それは決して子ども家族のためにはならないし、何よりも信頼関係は築けません。対話がどういった方向にいくかはわからなくとも、ハイ・イイエではない、オープンな質問をして語らせることが大切です」

このように、ネウボラ職員にはある程度高いコミュニケーション能力や知識が必要なのは事実だ。また、日本のような異動はなく、ネウボラに就職した職員はずっとそこで母子支援を中心に仕事をするので、専門性が養われる。さらに、職員たちはマニュアルや同僚から日ごろ学び、研修などで新しい研究結果や現場での成功事例を学び、専門知識をアップデートしていく。専門家として、きちんとデータと医療的見地に裏づけされた知識を持っていなければならないからだ。依存症や様々な障がい、病気やコミュニケーション、心理などについて、より高い知識と専門性を得ようと自主的に学ぶ人も多い。

職員の労働環境も配慮されている。忙しすぎると、データをきちんと見たり相手の話に耳を傾けたりすることがおろそかになってしまう。緊急の求めにも対応できるよう、余白の時間をつくることも推奨されている。

ただ、母子保健や保健衛生の専門知識だけでは対応できない福祉的な問題を抱えるケースもある。そこで、ソーシャルワーカーなどの福祉の専門家を同席させて面談する場合もある。たとえその時に問題や悩みが返ってこなくとも、後になって出てくるケースもあり、一度会っておくと互いに話がしやすくなるためだ。

日本の制度よりも優れている?

と、ここまでネウボラの素晴らしさを書いてきた。だが、日本で出産経験のあるフィンランド人の多くは、日本の医療体制のことも称賛する。

フィンランドでは、何の問題もなければ妊娠期間中は2回ほどしか医師に診てもらえないし、超音波検診も毎回ネウボラで受けられるわけではなく、出産病院などに行かなければならないこともある。一般的に、医者に診てもらうには予約を入れる必要があるが、地域の保健センターは予約が取りづらい。診察や健診を希望しても、緊急性がなければ長期間待たされることもある。それに対して、毎回すぐに医師が診てくれる日本は素晴らしいし、施設によっては3Dエコーなど最新の設備も整っていて、優しい看護師や助産師もいる。また、豪華な食事や至れりつくせりのサービスのある日本の一部の産院に比べれば、フィンランドはかなりシンプルだ。

日本の妊婦健診は丁寧で回数も多いし、多くの自治体は出産後に家庭訪問を実施したり、定期的に赤ちゃんの発達健診を行ったりしている。ただ、あるフィンランド人の友人は「日本では赤ちゃんのことは大事に見てくれるけれど、私や家族の状態や生活に関しては何の質問もないのが不思議で寂しかった」と語っていた。また、出産後は、半年先、1年先まで医師や助産師と接点がなくなることを残念に思ったという。「経産婦だったらいいかもしれないが、初産だったらとまどうのではないか。みんなそんな状況でどうやって乗り切っているのだろう」というのが、日本で出産したフィンランド人の正直な感想だ。

専門家と話す機会はあっても、ゆっくりと対話する雰囲気がなくて残念だったと言った友人もいる。日本の健診は集団で行われることもあるため、流れ作業の中で「何かありますか」と聞かれて相談しにくさを感じたり、初対面の保健師や医師から突然、子どもの発達について何か言われることに恐怖を感じたりする母親も多い。

逆に、フィンランドで出産した日本人の中には、医師に診てもらう回数が少なくて不安に感じたという人もいる。保健分野の研究をする知人いわく、「日本は医師に気軽に診てもらえるので、保健師や看護師ではなく医師しか信頼しない医者信仰が強い」という。

フィンランド在住外国人の中には、「ネウボラは相談にはのってくれるが、手取り足取りの指導はなく必要最低限のことしか言わないので、自立を求められているようでとまどった」という人もいる。言葉の壁によってネウボラ担当者とあまり密なコミュニケーションが取れなかったというケースもある。フィンランドでは言葉が通じない場合、自治体が無料で通訳を用意してネウボラ職員と家族とのコミュニケーションを助ける。子どもが養子の場合もネウボラ利用は可能だ。ただ、通訳を通していても表現がうまくできない場合もある。質問したいことをあらかじめ考えておいて積極的に聞くというスタイルに慣れていない人も多い。また同じフィンランド人の中でも、かなり自立していて自分の子育てにある程度自信がある場合には、ネウボラに行くのが面倒だと感じる人がいるのも事実だ。それでも、現在の利用率は高く、THLの全国調査でも満足度は9割以上と高い。

結果的に特別な支援を必要とする割合はわずかであっても、全ての家族はどこかの段階で多かれ少なかれ何かしらアドバイスやヒアリングを必要とする。どこで助けを必要とするか事前に予測するのは難しい。だが早期のうちに支援できれば、問題が大きくならず、余計なストレスや高額な支出を避けることにつながる。だからこそ、THLのネウボラの専門家も「全ての妊婦、子どもたち、親を対象とすることが大切」と強調する。今後は親子に必要な支援サービスとネウボラを一ヵ所に集約した「ファミリーセンター」の開設や、福祉分野との協力連携を強化するなど、より利用者目線に立った取り組みを目指している。

育児パッケージ

ネウボラの他に、世界中で注目を集めているのが「育児パッケージ」だ。これは母親手当の一つで、出産の際にフィンランド社会保険庁（KELA）から支給される。

中身は子どもの性別を問わず共通で、ベビーケアアイテムや服、親のためのアイテムなど約50点に及ぶ。いわば、子どもが生まれてから1歳ほどになるまで、育児に必要なあり

育児パッケージの中身。
新生児に必要なものが一通り揃っている

（Jari Riihimäki ©Kela）

箱はそのまま
赤ちゃんのベッドと
しても活用できる

（Finland promotion board）

とあらゆるアイテムが一通り揃った優れものだ。

育児パッケージの箱自体も赤ちゃんの最初のベッドとして使えるうえ、箱のサイズに合わせたマットレスや羽毛布団、ベッドリネンも用意されている。これは戦前のフィンランドが非常に貧しく、赤ちゃんを安心して寝かせられる清潔な場所すら確保が難しかったためだ。

時代の流れや利用者の声を反映して中身は少しずつ変化している。以前は紙おむつが入っていたが、エコに配慮して布製に変わった（2019年以降は入っていない）。また、以前は哺乳瓶が入っていたが、母乳による子育ての推進のため姿を消した。最近は素材や製造過程でサステナブル（持続可能）を考慮したものになっている。さらに、パッケージには避妊具も入っている。フィンランドは中絶の少ない国なのだが、中絶の理由として「出産直後の想定外の妊娠」が一定数あり、母体保護や家族計画を忘れないように、という意味が込められている。イギリス王室の第一子誕生の前祝いとして英王子夫妻に、フィンランド政府から育児パッケージが贈られたが、「王子にコンドームが届いた」という見出しがメディア上で躍っていた。

フィンランドでは、このギフトセットを受け取らず、代わりに170ユーロの現金支給を受けることもできるが、全体の6割が育児パッケージを選ぶ。特に、第一子を迎える家庭では95％がこちらを選択する。

現金より育児パッケージを選ぶ人が多いのは、各種アイテムを個別に揃えようとしたら数万円にも相当するほど充実したものだからだ。赤ちゃんを迎えるにあたって、両親は何十点にも及ぶ品物を買い揃えなければならない。それが何もせずに手に入るのだから、親の負担は大幅に軽減される。この制度を知った日本の友人は、出産前の体調も精神的にも万全とはいえない中、慌ただしく赤ちゃんグッズを一つ一つ揃えるのが大変だったからうらやましいと語っていた。

育児パッケージには利用者の所得による制限はないが、一つだけ取得の条件がある。それが、ネウボラもしくは医療機関での妊婦健診の受診だ。

このようにギフトセットを無料で提供する仕組みは民間団体の発案で始まり、１９３７年に法制化された「母親手当の現物支給」として位置づけられるようになった。当時は貧しい家庭を対象とした、妊婦健診を広めるための制度だったが、１９４９年からは所得制限が撤廃されている。現在のフィンランドでほぼ全員が妊婦健診を受けるようになっており、妊産婦と乳幼児の死亡率が低くなった背景には、育児パッケージもひと役買っているのだ。ちなみに、児童手当もネウボラなどで健診を受けることが受給の条件となっている。

何より、育児パッケージは生まれてくる子ども全員に対する、社会からの分け隔てない祝福と歓迎のシンボルだ。つまり、生まれた時から皆が平等に、というフィンランド社会の考えを象徴しているアイテムなのだ。これを受け取った時に親となる実感が湧いたと語る人も多い。最近では、日本の一部地域はもちろん、北米、南米、アフリカ、南アジア諸国でもこれに倣った育児パッケージが誕生している。

なお、よくお問い合わせをいただくのでここに書いておくと、この育児パッケージをフィンランドのＫＥＬＡから直接購入することは残念ながらできない。ただ、ほぼ同様のものは数万円でネットショップから購入できる。

ネウボラ以外の自治体独自での育児支援

自治体によっては、他にもユニークな子育て支援の制度がある。フィンランドでは学校の夏休みが2ヵ月半あるが、ヘルシンキ市にはその間、無料の昼食を子どもたちに公園で支給する伝統がある。メニューは具だくさんのスープにパンといったシンプルなものだ。支給される公園の情報と毎日のメニューは市の広報誌やネットに掲載されていて、まるで配給のように子どもたちは食器を持参して列に並ぶ。これは税金でまかなっているサービスなので、義務教育の子どもたちしかもらう権利はない。夏休み中、親は昼食を用意せずとも、子どもたちは温かい食事を無料で食べることができる。

他にもいくつかの自治体で見られるのが、未就学児だけでなく、ベビーカーを押している大人も市内の公共交通機関を無料で利用できるサービスだ。フィンランドは車社会ではあるが、都市部ではバスやトラムの方が便利なこともある。ベビーカーを押しながら支払いをしたり、ベビーカーを置いてチケットを買ったりするのは危険だ、との安全面の配慮から無償化されていて、これも好評だ。私の友人も、この制度ができたことで外に出かけやすくなり、街の中心部に買い物や散歩に出かける回数が増えたという。

もともと、フィンランドはベビーカーで歩きやすい街だ。歩道が広々としていて高低差も少なく、店の中も比較的広い。ラッシュアワーの満員電車のような混雑もない。もちろんこの制度を逆手に取って、時々車内でベビーカーに窮屈そうに無理やりおさまっている感のある子どもを連れた人を見かけることがあるのも事実である。

また、フィンランドでも過疎化に悩む自治体は少しでも出生率を上げて子育て家族を呼び込むため、地方税を軽減したり、独自の子育て補助金を支給したりするなど、試行錯誤している。

日本で始まったネウボラと育児パッケージ

各自治体が子育て家族への様々なサービスを運用しているのは、日本も同じだ。特に2010年代後半から、日本では各地で日本版ネウボラの導入が始まった。ネウボラという名称をそのまま使っている自治体もあれば、新たな名称をつけているところもある。各自治体はそれぞれ地域にあったやり方を模索していて、その方法にはかなりの違いが見られる。ただ、いずれも、健診以外にも妊産婦や子どもたちと接点を持とうとしている点では共通だ。

ある時、日本版ネウボラを導入した自治体の担当者に話を聞くことができた。多くの母子と会って話を聞いてみてどうですかと尋ねると、「ハッピーではないお母さんがとても多くて驚いた」という答えが返ってきた。望まない妊娠、家族関係の悩み、金銭的な悩み、不安、孤独、疲れなど、様々な問題を多くの人が抱えていて、それは見た目や家族構成からは想像もつかないケースが多いという。

妊娠、出産、子育て＝幸せと思いがちだが、現実にはそう感じられていない人もたくさんいる。相談されてもなかなか解決できない問題も多いそうだが、多くの人が不安や悩みを抱えていることを行政関係者が気づけたとしたら、それだけでも一歩前進なのかもしれない。また、実際に必要な支援や専門機関につなげることができたケースもあったという。

フィンランド人にネウボラの良さを聞くと、一番にくるのは施設そのものではなく、そこにいる人との信頼関係だという答えが返ってくる。定期的に健診の機会が設けられているのも、何度も会うことで信頼関係が築かれていくからだ。フィンランドではカルテや手続きの電子化が進んでいるが、ネウボラでは人と人のつながりや温もりが重視されている。

それに、ネウボラは親の支援を目的としているように見えるかもしれないが、中核はとてもシンプルで、あくまでも「子ども第一」。個人情報や組織の枠、様々なしがらみを超えて、子どもの健康とウェルビーイング（心身共に健康で幸福な状態）が何よりも優先される。そのために欠かせないのが親や兄弟の健康とウェルビーイングであり、家庭環境でもあるというわけだ。

子ども一人ひとりが貴重な宝であり、人が国の大切な財産で資源。だからこそ妊娠期から様々な支援が続く。

第3章
フィンランドの教育の変化

最新のフィンランドの公立学校の様子。空間デザインの仕方やデジタル機器の導入などで大きく進化を遂げている（Finland promotion board）

「フィンランドと言えば、教育が世界一なんですよね」とよく言われる。OECDが3年ごとに調査している15歳を対象とした学習到達度調査（PISA）で、2000〜06年のフィンランドが各分野（「読解力」「数学的リテラシー」「科学的リテラシー」）で1、2位だったためだ。だが、2009年には上海（シャンハイ）が全科目で1位に輝き、2012年には日本も全分野でフィンランドを追い抜いている。PISAの順位では日本が上回った以上、もはやフィンランドの教育から学ぶことはないのだろうか。

フィンランドでは、メディアなどで下降気味の順位に対して心配の声が取り上げられることもあるが、私の観察する限り、教育の専門家たちはまるで気にしていないかのようだ。代わりに、子どもたちが現代や未来を生き抜くための力を育み、本当の意味での「成熟」を促すには何が必要なのか、そのための議論と実践が盛んに行われている。フィンランドでは10年に一度、日本の学習指導要領に近い「ナショナル・コアカリキュラム」が発表されるが、2016年に現場に適用されたコアカリキュラムは、国際的な学力調査の結果よりも、子どもたちのウェルビーイングや未来に目を向けた内容となっている。その中身を知れば知るほど、ＰＩＳＡの成績に一喜一憂することにどんな意味があるのだろう、と思ってしまう。

第3章ではフィンランドの教育が直面している課題と、それを克服するための新しい実践を紹介したい。

フィンランドの小中学校

まず、簡単にフィンランドの教育の概略を説明しよう。基本的に日本と大きくは変わらず、小学校6年、中学校3年の合わせて9年間が基礎教育と呼ばれる。授業料のかかる私立は存在せず、基本的には家の近くにある公立学校に通う。通常は7歳で小学校に進学するが、本人の様子を見て入学を1年早めたり、遅らせたりすることができ、まれに留年、飛び級もある。もう少し中学で勉強したいと思えば、中学に4年間通うことも可能だが、最長でも17歳になる学年度に修了しなければならない。

２０１５年から、小学校入学前の1年間も、未就学児を対象にした半日のプレスクールに通うことが義務となった。プレスクールはたいてい小学校もしくは保育所に併設されているが、ここでは勉強することを目的としていない。体験や遊びを通じて集団生活に慣れる、先生や友人の話を落ち着いて聞く、ルールを守るなど、学校生活や学ぶための準備をすることを目指している。自己肯定感を高め、学びや探究の楽しみを知ることも大切な目標だ。

基本的に拘束時間は午前中のみで、給食を食べたら終わりとなるが、保護者が家にいない子どもはそのまま保育所のようにプレスクールで過ごし、その場合は保育料も発生する。

フィンランドでは、子どもの発達には時間と空間が必要だという信念があり、文字や計算を本格的に教えるのは小学校に上がってからだ。他の国に比べて遅いといえるだろう。海外赴任中に子どもを現地の幼稚園に通わせていたフィンランド人の友人は、その国では4歳でアルファベットのドリルが始まったことにショックを受け、「こんなの必要ない！早すぎる！」と憤慨していた。フィンランドでは子どもたちの好奇心を伸ばし、遊びを通じながら自然に学ぶことを目標としているからだ。

小学校の1時限は45分間の授業で、1〜2年生が給食をはさんで5時限までで、3年生以降は7時限までと定められている。始業は大概は8時からだが毎日同じとは限らず、曜日によって、クラスによって、さらには中のグループによって登校時間がバラバラで、そこは教師たちが柔軟に決められる。毎年8月中旬から新年度が始まり、翌年の5月末に終了。約10週間の夏休みの他、冬はクリスマス休暇が約2週間、さらに秋休みとスキー休みがそれぞれ1週間ずつある。年間の授業日数は190日で、日本の196〜205日やOECD平均よりも短い。長期休みの間、宿題は基本的にない。

授業料も給食も全て無料

共働き家庭が多いため、学校が終わる14時頃から親が帰ってくる17時頃までの3時間、子どもをどう過ごさせるかは悩みの種だ。小学1、2年生は学童のようなサービスが有料で利用できるが、3年生以降は基本的には自分たちでどうにかすることになる。友人の家に行ったり、習い事に行ったりすることもあるが、自宅で1人で過ごしたり、子どもたちだけで遊んだりすることも多い。

知人に心配にならないのか聞いてみると「子どもは親がいない方が嬉しいだろうし、心配しているのは親の方だけだよね。いざとなったら携帯電話で連絡がつくから大丈夫」とのこと。フィンランドでは小学1年生から携帯電話を持つことが当たり前となっている。もちろん最低限のマナーは守る必要があり、授業中は基本的に使用禁止だ。ちなみに学童のサービスも自治体によるが通常は16時まで。それ以降は追加料金がかかり、17時には完全に終わってしまう。

親の方も、子どもが小さいうちは週に数日は在宅勤務にしたり、フレックスタイムを利用して早めに帰ってくるようにしたりと、子どもだけで過ごす時間を少なくするよう努力している人が多い。子どもたちも、自分でおやつを食べ、宿題をするなど、ある程度、自立が求められる。

子ども・保護者と教師の双方向の連絡は、多くの自治体でWilma（ヴィルマ）と呼ばれる電子連絡帳、もしくは同様のオンラインシステムで行われている。保護者は子どもが欠席する時はシステムのメールを通して学校に連絡、教師は各授業の出欠を入力することで、リアルタイムで保護者も登校状況が確認できる。サボったり、忘れ物をしたりしたら即座に親へ筒抜けとなる。出欠だけでなく、時間割や持ち物、成績の連絡などもシステムを通じて伝えられる。このシステムは小中学校だけでなく、保育所や高校や職業学校でも利用され、コロナ禍の遠隔授業時にも非常に役立っている。

授業料は全ての小中学校で無料。教材、文房具も無料配付だが、どの自治体も財政的な余裕がないので、教科書は多くが貸出制だ。カバーをかけて何年にもわたって同じものを使い回すので、教科書には以前に使っていた人の名前が書いてあったりもする。毎日の給食も無料だ。弁当の概念がなく、家から食事を持ってくることはほとんどない。

フィンランドでは試験や宿題がない、という話を聞くことがあるが、それは誤解で、宿題は頻繁に出るし、必要に応じて理解度を測る小テストもある。ただし、長期休みには宿題がなく、日本の中間・期末テストにあたる校内の一斉試験や全国的な学力試験は、義務教育期間中は実施しない。唯一ある大きなテストは、高校卒業時の大学入学資格試験のみだ。

高校か職業学校か

基礎教育修了後は半数が高校へ、残りが職業学校へ進む。高校入学にあたってテストは基本的になく、中学時の成績で選考される。ただ、科学、音楽や芸術、スポーツなどの特色のある高校に入る場合は、実技試験があったりする。フィンランドでは高校は、その先の大学進学を目指す場でもあるので、授業の内容も宿題もそれまでと比べてぐっと大変になる。手に職をつけたいとか、より就職に直結する勉強をしたいという人は職業学校に進む。現在その割合は約半々だ。といっても、行き止まりのないのがフィンランドのいいところで、たとえ職業学校に進んだとしても、高校卒業資格試験を受けて大学に進学することもできる。

2021年秋から義務教育の年齢が18歳までに引き上げられ、中学卒業後に高校や職業学校に進学することが義務となった。その理由は、現代は中学を卒業しただけでは知識もスキルも十分でないこと、そして学生の金銭的負担を減らすためでもある。

以前から高校や職業学校では授業料はかからなかったが、教材や職業訓練に必要な作業着や道具などは、自費でまかなわなければならなかった。レンタルの利用も可能で、自治体によっては多少の補助金も活用できたが、それだけでは十分ではなく、これが中退の理由の一つにもなっていた。義務教育になれば負担が軽減され、経済状況に関係なく、全ての人たちに公平に教育の機会を提供できる。さらに、たとえ途中で志望変更や何らかの理由で学校をやめたとしても、義務教育ならば自治体や親がフォローし、他の学校に入ることが必然となる。義務教育化により、早めにドロップアウトを防ぐことで、若者の社会からの孤立のリスクを減らすことが期待されている。

教師は社会的に尊敬を集める職業

教師は人気の職業だ。小学校教諭を目指す教育学部の合格率は、一般的に2割ほど。社会的地位も高く、医師、警察官、看護師に次いで4番目に国民の尊敬を集めているのが教師だという。小学校1～6年生担当の教師は教育学の修士号、中学にあたる7～9年生の教師は専門教科の修士号を取得していることが多い。ただ、フィンランドの場合、総合大学に入ったら学部は何であれ修士まで勉強するのが通例なので、修士を持っていること自体はさほど特別ではない。

大学の教師養成プログラムは実践的で、学校現場での経験の量は日本よりはるかに多い。15週間から21週間にもわたる教育実習が必修化されているうえ、多くの学生が教師が体調不良や出張の際に代用教師として授業を受け持っている。「まだ卒業してないのにいいの?」と驚いたが、学生たちもアルバイトに、そして経験を積むためにと積極的に授業を担当しているようだ。

教職は、フィンランド社会では信頼が厚く、現場での裁量は大きい。国の教育の方向性を定めた「コアカリキュラム」はあるが、その内容は科目ごとの大まかな学習目標にとどまり、さほど具体的ではない。その方針を受けて各自治体、各学校が個別具体的な授業計画や内容を練っていくが、どう教えるかは教師に一任されている。授業時間数についても、国の基準では「3年生は算数が週○○時間」というように科目ごとの最低時間数は決まっているが、「分数は何時間教える」というような細かなカリキュラムは定まっていない。

もちろん教科書があるので最低限教えることは決まっているが、どこに比重をかけるかは教師次第だ。その教科書も、国による検定教科書がないため、教師の意見を踏まえて学校ごとに選ばれる。副読本や補助教材なども、現場の状況に合わせてそれぞれの教師が判断して用意している。

職員会議は週に一度程度で、一人ひとりの教師が独立して仕事をしている印象だ。個人事業主の集まりというのが実態に近い。教師を採用する学校長の権限は大きく、企業の社長のような存在だ。そんな校長は一般に公募され、自治体の教育委員会が選ぶ。

学力世界一からの陥落

2000年以降、PISAでフィンランドが世界一になるたび、各国の教育関係者がその秘密を探ろうとフィンランドに押し寄せてきた。日本からの注目度も高かった。頻繁にテレビや雑誌で特集が組まれたが、日本とは真逆の教育環境に、多くの人が「なぜそれで世界一になれるのか?」と疑問に感じたことだろう。

少人数での授業、教師の質の高さ、経済的・社会的な格差が少ない社会、現場に裁量権があることなど、様々な理由を説明しても、日本からは「ゆとり教育」に見えてしまうフィンランドの教育は理解されないことも多かった。

そうして、日本での十分な理解がされないまま、先述した2012年のPISAでは、日本が「読解力」と「科学的リテラシー」でOECD加盟国中1位に輝き、逆にフィンランドはそれぞれ3位と2位という結果になった。また、「数学的リテラシー」は日本が2位だったのに対し、フィンランドは6位と激しい落ち込みを見せ、海外では衝撃をもって受け止められた。

それでは、この結果はフィンランド国内ではどう見られていたのか。当時の教育科学大臣クリスタ・キウルは記者発表の中で「フィンランドの義務教育が大きな対策を必要としていることを示唆しています」とコメントを発表し、こう続けた。

「これまでの研究から今回の結果は予想されていました。というのも子どもたち、そして社会の学校に対する意識が、以前より肯定的ではなくなってきたためです。平等を強化することはもちろん、学習への意欲を向上、維持させ、学校の環境をより居心地の良いものにしなければなりません」

実はこの調査では、学力の測定だけでなく、学校への帰属意識や満足度も調べられている。学校生活が幸せだと回答した生徒の割合はOECD平均79・8%、日本85・4%であるのに対し、フィンランドは66・9%と7割に達していない。調査国の中で5番目に低い数字となっていた。

教育現場でいったい何が起こっていたのだろうか。フィンランド教育文化省や専門家によれば、2012年のPISAの結果が出る前から、フィンランドの強みであった落ちこぼれの少ない、比較的一律だった学習成果に差が生じ始めていたという。その差は、親の社会経済的背景によるものが大きいとわかっている。以前は、どんな家庭の出身でも、子どもの学習成果に大きな影響は出ていなかったが、経済的な違いが如実に現れるようになってしまっていたのだ。

次に、男女間の差も大きくなった。女子の学習成果は非常に高い一方、男子は下がっている。理由としては、男子の読書離れと読解力低下があるという。PISAの試験はどの科目であれ、読解力が求められるが、今の男子は読書の楽しみを得られておらず、ネットやゲームがその傾向を助長させていると報告書では述べられている。

さらに学校間の差、移民人口の増加、地域格差も、以前にも増して顕著になった。そして支援が必要な子どもが年々増えていることも課題の一つとして挙がっている。全体的に特別支援の専門知識を持った教師が不足していたり、支援の必要な子どもに重点をかけすぎるあまり、他の子どもたちに注意が回らなかったりという状況もあった。

こうした格差は勉強への興味を失わせ、親の学校への期待値を下げ、お金の余裕のある家庭が子どもに学校以外で教育の機会を与えることにもつながる。世界的に見れば、まだまだ地域や家庭の経済状況による学力差は非常に少ないが、かつてフィンランドが誇りにしてきた平等と公平性にゆらぎが生じてきているのも事実なのだ。

一方で、心理学の専門家の調査では、生徒が競争や期待などのプレッシャーを感じていたり、先生や家庭からの支援の不足により孤独感を抱いていたり、学校外の活動が忙しく心身共に疲れていたりすることが指摘されている。さらに、学校や授業の在り方が「時代遅れ」と感じている子どもたちも多く、勉強に興味や意欲のない冷めた声も少なくなかった。

新コアカリキュラムが見据えるもの

既に述べたようにフィンランドでは10年に一度、小中学校の学習指導方針「ナショナル・コアカリキュラム」が発表される。新コアカリキュラムは2014年に作成され、2016年秋から段階的に導入が開始された。

10年ごとの新コアカリキュラム作成にあたっては、国家教育委員会の専門家に加え、教職員、保護者の代表、研究者など多くの人たちが関わる。今回、最も重視されたのは学力調査の結果ではなく、まずは子どもたちの心身の健康と学習意欲の向上、今の時代にあった授業の在り方、そして将来必要な知識やスキルといったことだった。

将来、AI技術の進展により多くの職業が消えてしまうと言われている。そのような中では、学びに対して積極的で柔軟な考え方ができる人間が求められる。批判的・創造的な見方も欠かせない。

一方で、子どもたちは一人ひとり、学び方も学ぶスピードも異なる。そこで、個々に応じて能力を伸ばしていけるような学び方を提供していくことも、新コアカリキュラムに盛り込まれた。タブレットなどデジタル機器を授業に取り入れることも、子どもたちにとっては興味や意欲の向上につながる。そして学習の結果よりも一人ひとりの幸福感を重視し、学習や学校を楽しいものにすることが目指されている。

さらに現代社会では、他者との協力なしに仕事をすることは不可能だ。そこで、小さな時から多様性を受け入れ、クラスメイトや教師、家族と積極的に協力し合う経験を重視する内容が盛り込まれている。

確かなことは、コアカリキュラムが変わっても、授業数が増えるわけでも、夏休みが短くなるわけでもないという点だ。休む時にはきちんと休むからこそ、勉強する時にはちゃんと頭に入ってくるし集中できる、という考え方なのだろう。

新コアカリキュラムでは、人間として、市民としての成長のため、以下の7つの能力（コンピテンシー）を子どもたちが身につけることを、カギとして掲げている。

1、思考と学びのための学び
2、文化的能力、相互コミュニケーション、自己表現
3、自律、自立
4、マルチリテラシー（言葉の読み書きだけでなく、様々な情報を検索し、理解、解釈、分析、表現ができること）
5、ＩＣＴ（情報通信技術）の活用
6、働くための能力、起業家精神

7、社会参加、関与、サステナブルな未来を構築する

この新コアカリキュラムをベースにして、その後、各自治体が各地の事情も考慮して地域ごとのカリキュラムを作成。さらにそれをもとにして各学校のカリキュラムへと落とし込まれた。

「学力世界一」の評判なんて気にしない

2016年に現場での導入が始まる頃、フィンランド外務省のオンラインニュース「this is Finland」に教育専門家の談話が掲載されたのだが、そこにはとてもフィンランドらしい、でも日本人にとっては驚きの言葉があった。

「新コアカリキュラムによって、PISAによって得られた『学力世界一』の評判が落ちるのではないですか」という問いに対し、世界的に知られるフィンランドの教育学者で現在ニューサウスウェールズ大学教授のパシ・サルベリはこう答えている。

「そうかもしれませんが、それがどうしたというのでしょう。フィンランド的考え方では、PISAランキングの意義は取るに足りません。PISAは血圧測定のようなもので、

時々自分たちの方向性を確かめるうえでは良いですが、それが永遠の課題ではないのです。教育上の決定を行う際、PISAを念頭に置いてはいません。むしろ子どもや若者が将来、必要とする情報こそが大事な要素となります」

国によってはPISAなどの国際的な学力調査を重視して、その成績向上を目標とした教育改革が行われているところもあるのかもしれないが、フィンランドのコアカリキュラムにPISAの結果はあまり関係しない。PISAはあくまでも一部の評価でしかないので、それだけで判断するのは短絡的だと考えられているからだ。PISAの結果は国内の地域や学校間、生徒間の違いを見るために使われ、国際的な順位が直接的に教育改革に大きな影響を与えることもないのだ。それよりも、ウェルビーイングを大事にし、大切なことをしっかりと見極め、生徒中心の学校の在り方や学びにフォーカスして変えていこうというのが、フィンランド流だと言えるだろう。

ここまで述べてきたような新コアカリキュラムや社会の様々な変化を受けて、教育現場や教え方も大きく変わりつつある。それでは、実際の現場はどうなっているのだろうか。新型コロナウイルス発生前ではあるが、私が学校訪問した時の様子を紹介しよう。

今どきのフィンランドの小学校

校庭から聞こえてくるにぎやかな子どもたちの声。私がヘルシンキ市のクロサーリ小学校を訪れた時は、ちょうど休み時間が始まった時だった。

この学校では1時限目と2時限目を合わせて一気に90分間の連続授業をする代わりに、2時限目の後に30分の休み時間を設けている。フィンランドの小学校では、心身の健康や頭を切り替えて授業により集中するためにも、休み時間は天候にかかわらず外で遊ぶことを奨励している。通常の15分の休みだと、冬は上下のウェアを着たりトイレに行ったりしている間に終わってしまう。そこで、30分のまとまった休みを設けることで子どもたちが外遊びをしやすくしているというわけだ。

その間、教師とアシスタント数人が目立つ蛍光色のベストを着て、校庭で遊ぶ子どもたちを見守る。他の教師たちは休憩室で休んだり、次の授業の準備をしたりする。この学校も、後で詳しく説明するが、子どもが体を動かすことを推進する全国的なキャンペーン「スクール・オンザ・ムーブ」に参加していて、休み時間にラケットやボールのスポーツ道具を子どもたちに貸し出すなど、様々な取り組みが行われている。

校舎の中に入ると、玄関横の小さな会議室では、各クラスから選出された委員会の子どもたちが、何らかの話し合いをしていた。委員会は、学校の環境改善や今後の行事について様々な提案を学校側に行う。学校側もその提案をできるだけ実現すべく努力をする。実際、目の前の廊下にあったソファは委員会の提案によって購入されたものだった。また、私が行った前の週には、委員会が提案した新しい給食メニューの試食会が行われたという。提案を実現するため、ヘルシンキ市がわずかではあるが、予算をつけてくれているそうだ。

子どもたちの自主性を大切にし、学校運営にも子ども自身の声を反映させる。結果、子どもたちは、自分も何かを変えたりすることができると信じられるようになる。それが、将来の社会や政治への参加にもつながるというわけだ。

校内の図書館を訪れてみたところ、蔵書数はそれほど多くなかった。あるのは、授業に関連する参考書や調べものに利用できたりする本が多い。フィンランドでは教育は税金でまかなわれていて、予算が非常に厳しいこともあり、学校の図書館は日本と比べると充実していない。その分、各自治体の図書館が蔵書の面でもサービスの面でも整っているので、そちらを積極的に利用する。自治体によっては地域の図書館と校内の図書館の貸出カードが共通していたり、学校と自治体が共同で図書館を運営していたりするようだ。

外国語も早いうちから

訪れたクロサーリ小学校は、全校児童数は約３００人。大きな特徴はフィンランド語と英語のバイリンガルクラスがあることだ。1学年あたり2クラスがあり、その一方はこのバイリンガルクラスになっていて、所属する子どもたちは入学時から英語とフィンランド語の両方を理解しなければならない。そのためフィンランドの小学校では珍しく選考試験がある。ほとんどが帰国子女や家庭で英語を話している子どもたちだ。

このバイリンガルクラスの授業も基本的にはフィンランドのコアカリキュラムに沿ったもので、授業の半分は英語、半分はフィンランド語だ。具体的には理数系の授業や図工、音楽などが主に英語で行われる一方、国語であるフィンランド語もきっちり学ぶ。教師は、英語に長(た)け、フィンランドと海外で教員養成講座を修了したフィンランド人教師やネイティブの英語教師などがいる。

フィンランド語のみの通常クラスでも、小学校1年から英語教育が始まり、4年生以上は望めばフランス語もしくはスペイン語が学べる。ただ、通常クラスの1年生でも外国人の私を見て、英語で話しかけてきた子どもたちがいた。

もともとフィンランドの学校は外国語教育に積極的で、海外留学や長期滞在経験がなくとも数ヵ国語を話せる人が珍しくない。グローバル化に伴い、２０１９年からフィンランドの全ての学校で小学校1年から外国語学習が義務づけられ、さらに6年生からは第二母国語を学ぶ。フィンランド語話者だったら、スウェーデン語を第二母語として選ぶ。さらに一部の自治体では小学校高学年になると第三外国語まで学べるところもある。

フィンランドに流通しているゲームやテレビ番組は、市場規模の問題からフィンランド語に翻訳されていなかったり、翻訳されていても吹き替えでなく字幕だったりするため、子どもたちは小さな頃から英語に親しんでいる。塾に通っていなくとも、遊びやアニメ、ＹｏｕＴｕｂｅ動画を通じて自然に英語が身についている子どもが多い。訪問時も6年生の英語の授業を覗（のぞ）いたら、ところどころフィンランド語で補足はしていたが、複雑な文法を教師が英語で説明しながら、作文の指示を与えていた。

ユニークな空間利用と設備の進化

クロサーリ校の校舎は、約10年前に建て直された。

教室と教室の間の廊下はかなり広くできていて、机やソファが置いてある。廊下という

クロサーリ校の廊下。様々な活動ができる空間になっている

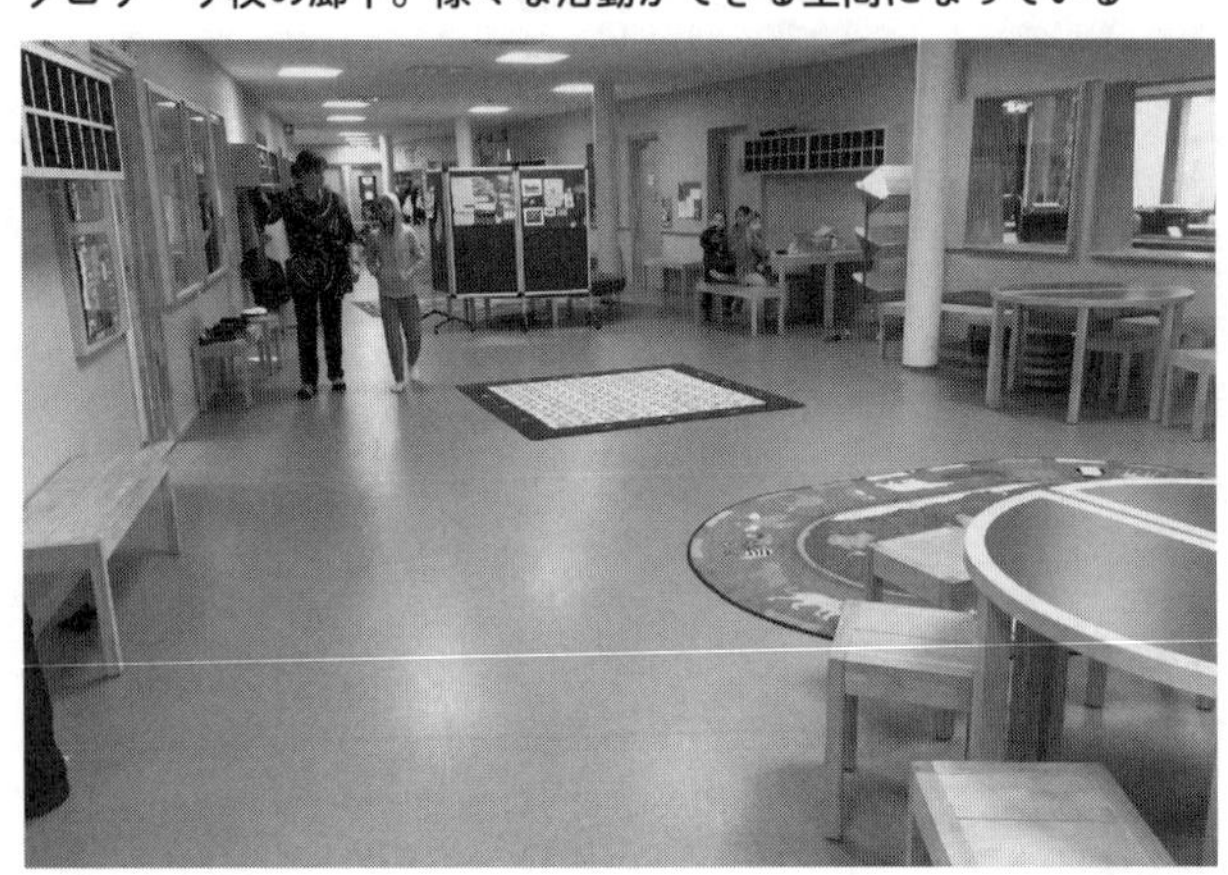

（著者撮影）

よりも、もう一つの自由空間といった感じだ。私が行った時は、5年生が2～3人ずつのグループワークを教室内と廊下の空間を目いっぱい使って行っていた。

高学年の廊下にある机は比較的高くできていて、椅子がない。ずっと座りっぱなしは健康に良くないという理由から、立って作業ができるようにしているのだ。天気が良ければ外に出て授業を行うなど、勉強の空間は教室に限られていない。

廊下からは各教室の中がよく見えるよう、大きな窓がある。覗き込むと、まず目を引くのが机の配置だ。きれいに前を向いて並んでいる教室は一つもなく、どこもグループごとに分かれている。椅子は簡単に高さ

を自由に変えられるようになっていて、どの学年の子どもたちも、同じものを使用している。

教室には必ず天井にプロジェクターがついていて、教師は黒板ではなくパソコンを操作してスクリーンに文字や絵を映す。語学の授業ではホワイトボードを一部使っていたが、見学した他の授業でもスクリーンを使用していた。

私がフィンランドの学校を訪れるようになって20年が過ぎるが、このデジタル化への変化のスピードには目覚ましいものがある。決して華美な設備や目新しいものはないが、どんな田舎の学校に行っても電子黒板があり、wi-fiが全教室に入っている。コンセントもあらゆるところに整備されている。

新コアカリキュラムでは、従来のような四角い教室に45分間きっちり座って授業を受けるという既成概念を取り払って、動き回ったり、立って授業をしたり、教室の外の空間も利用しながら授業をしたり、ゲームやICT技術を活用して実践的な内容を学ぶことを提案している。クロサーリ校はそうした方針を実践している典型例だと言えるだろう。

もっとも、こういったオープンなスペースに批判がないわけではない。周りの音や動きが気になって教師や子どもたちが集中できないなどの声はある。一方で、家具の配置や課題の与え方によっては、こういったオープンな空間の方が、より集中できたり、自由でクリエイティブな授業ができたりするといった声も多い。子どもたちの性格や教師のスタイルによって受け止め方はいろいろだが、先生が前で話して、子ども全員が一律で同じ方向を見て授業を受ける時間は、総じて少なくなりつつある。

ちなみにこの学校でｗｉ－ｆｉが入っていないのは、職員の休憩室のみ。携帯やパソコンを見るのではなく、コーヒーを飲みながら、他の先生たちとの交流をしてほしいとの意図からだ。この部屋は日本の職員室とはイメージが全く違い、一人ひとりの席が決まっていない。また、作業をする場所とは考えられておらず、くつろげるようにソファや椅子が置いてある。ここに座ってコーヒーを飲んだりしながら、同僚たちとおしゃべりを楽しむための、文字通りの休憩室なのだ。

デジタル機器をフル活用

今回の見学は1年生の国語の授業から始まった。教室には25人の子どもたちがいて、比較的大きいクラスだ。それに対して大人は3人。担任教師の他に、サポートでもう1人の教師と、市から派遣されてきた現在職業訓練中の若い女性がアシスタントとして入ってい

（上）教室の様子。デジタル機器を活用し、子どもたちは小さなグループに分かれている。

（下）職員の休憩室は喫茶スペースのようになっている。

（著者撮影）

た。

子どもたちの机にはそれぞれに小さなぬいぐるみが置かれていた。後で聞いてみると、このクラス独自のルールで、1年生はまだ幼いため、お友達としてお気に入りのぬいぐるみを持って来ることを許可しているそうだ。ただし授業中に遊んでいたら注意し、金曜日の決まった時間にだけぬいぐるみで遊んでいいというルールになっている。

授業はというと、まず教師が手づくりの人形を使いながら物語の一部を読み聞かせる。次に教師がパソコンを使ってスクリーンに物語の文章を映し出す。それに合わせてみんなで音読、その次に単語の書き取り問題。先生がボタンをクリックすると音声が流れてきて、子どもたちはノートに単語のつづりを書いていく。

サポートに入っている大人はうまくできない子どもや集中していない子どもの横について、支援していく。しばらくして「じゃあ、正解を確認しよう！」と先生がまたボタンをクリック。するとスクリーン上に正しいつづりが現れた。

基本的に、教科書自体は従来と変わらず紙ベースだが、副教材や補助教材として、このようにアプリや動画、音声といった五感を刺激するものが年々増えている。当時、全ての学校で子どもたちが1人1台のパソコンを持って授業を受けていたわけではないが、科目

デジタル機器を使った算数の授業

（Finland promotion board）

や内容に応じて適宜、タブレットやパソコンを活用していた。

フィンランドはエデュテック（EduTech）と呼ばれる教育分野のゲームやアプリの開発も非常に盛んで、普段の授業や宿題で大いに利用されている。デジタル機器が完全に先生の代わりをつとめるわけでも、機器のおかげで学力が格段に伸びるといったわけでもない。ただ、子どもたちの興味を引き出すのに役立ち、より難しい問題に挑戦したい子、逆にもっと簡単な問題が必要な子など、個々のレベルに合わせた補助的問題を簡単に提供できるといった意味で便利だ。

さらに子どもの答えをすぐに把握でき、

採点も簡単に済ませられる。例えば、フィンランドの半数の学校で使われている算数のゲームアプリは、従来の紙ベースの練習問題と比べ、子どもがこなせる計算や問題が8倍に増えたそうだ。さらに子どもの回答の精度や、どの問題に時間がかかっていたかなど、すぐにデータを一覧して分析ができるため、教師は客観的に、すぐに児童の理解度や得意・不得意が把握できる。ただ、1年生の担任教師は、児童と触れ合うなどのデジタルでない部分も大事にしたいと語っていた。

4年生の授業を覗くと、国語の授業中でちょうど学校通信を作成していた。全校児童の親に配付する通信で、4年生は先日参加した校外学習のレポートを書くのだという。3〜4人が一組になってグループをつくり、ノートパソコンが1台ずつ与えられていた。クロサーリ校ではこのようにノートパソコンやタブレットを積極的に授業に取り入れているが、当時は児童の数に比べてデジタル機材の数は圧倒的に少なかった。だが、2020年にコロナの影響で遠隔授業の必要性が発生したこともあり、現在はかなり拡充されて1人1台が実現しつつあるという。

複数の教師による指導

4年生の木工と裁縫（手芸）の教室も見学した。1クラス25人を教師1人で一度に相手にするのは大変なので、クラスを3つのグループに分け、他の教師と協力して手芸、木工、体育の授業をするのだという。子どもたちは1年を通じてそれぞれをローテーションして、最終的には全ての授業を規定されている分だけ受ける。1グループは10人にも満たないが、みんな同じものを同じようにつくっているわけではなく、それぞれが創意工夫をしながら個性豊かな作品をつくっていたのが印象的だった。また、木工の技術室では、他校の子どもたちが作業をしていた。小さな学校には十分な設備がなかったりするので、設備のある学校が時々場所を貸し、融通し合って授業をしているそうだ。

フィンランドはもともと少人数クラスが多く、以前私が訪問した学校はたいてい1クラス20人前後だった。それが、最近では児童数が30人以上というクラスも増えてきた。背景には、複数の教師による担任制がある。

教室に複数の教師がいれば、図工など、細やかな対応が必要な授業はクラスを半分に分けて、少人数教育ができる。数学などの全員が一緒に受ける授業でも、導入部分が終わると個人で、もしくはグループの仲間と一緒に問題を解いていく。そこを教師が巡回していく形で授業が進んでいた。

子ども同士が教え合うことでできる子が退屈せず、落ちこぼれも少なくなるし、子どもが皆で迷っているようなら、教師がアドバイスを与える。もちろん、習熟度や性格などに合わせて柔軟にグループを分けることができるというわけだ。

また、教師が複数いれば、クラス内で教師の問題行動も起こりづらくなる。子どもの問題の芽も見つけやすくなるということだ。

子どもたちの主体性を育てる授業

5年生の社会科の授業では、ちょうど地方議会選挙が近いこともあり、スクリーンには「市長、地方議会、地方議員、議長、それぞれの役割は何ですか?」と書かれてあった。フィンランドの教科書には、ユニークで多彩な練習問題が各章に載っている。例えば「市長の選び方を説明しなさい」とか、「地方議員になるには?」といった基礎的な問題から、「自分が地方議員に立候補するとしたら、どんな主張をしますか」といったものもある。地元の地方議会の構成を分析したり、地元の議員の主張を調べたりといった、より身近で実践的な内容を問うものも見られる。

従って、教師は「選挙は4年ごとに行われる」といった基本的な説明は教科書に任せ、いかに子どもがその話題により興味を持ち、身近なこととリンクさせ、主体的に考えられるようになるかに力を注ぐ。課題の進捗を見守ったり、テーマに関わる実際の新聞記事や動画、サイトを提供して深い議論に導いたり、調べたことをプレゼン、レポート、寸劇などで発表させるなどして、授業を膨らませていく。

新コアカリキュラムが掲げる社会科（日本の現代社会・公民に相当）の目標は、「アクティブで責任ある市民への成長を支援する」ことで、子どもでも民主主義に参加できることを学び、体験することを重視している。政治経済の仕組みだけでなく、多様な家族の形や、コミュニティ、結婚、離婚、住まいの賃貸と購入、消費、福祉、納税といった、身近で誰もが知っていた方がいい実践的な知識や、具体的な手続き方法も扱う。ちなみに、中学の教科書には遺言状の書き方が載っていて、実際に書いてみる課題まであったりして面白い。

横断的授業

新コアカリキュラムが発表された時、一部の海外メディアからフィンランドで「科目」がなくなると誤解した記事が出たが、教科の枠組みそのものが大きく変化したわけではない。ただ、新たな試みとして教科の枠を超えた「横断的授業」を年に1回以上は設けることが提唱されている。

これは、子ども自身が好きな研究テーマを考え、2~3人のグループでそれについて調べるというもので、個別の教科の中でテーマに沿った学習もする。そして最終的にはポスター発表、プレゼン、動画制作、レポート、絵などの形で調べたことを発表する。大きなテーマの例としては「気候変動」や「EU」、さらに「日本」「フィンランド独立100年」といったものから、「恐怖」といった抽象的でユニークなものまである。

例えば「水」というテーマであれば、社会科の中で水と環境問題について学んだり、国語の授業の中で関連の資料を読んだり、簡単な文章を書いたりする。英語の授業でも水のテーマに沿った英語の文章を読んだり動画を見たり、関連する英単語を学ぶこともできる。算数や理科でも水をテーマに問題を解いたり、実験したりする。図工の授業では水に関連した絵を描くといったように、様々な教科の中でテーマに沿った学びをしていく。そして、最終的にはそれぞれの小グループで「世界の飲み水事情」「気候変動の影響」「自分たちの飲み水はどこから来るか」などのサブテーマを考え、調べたり考察したりする。その過程では、アンケートを取ったりインタビューを取り入れたりしてもよい。

横断的授業の目的は、子どもたちが幅広く周りの環境や世界に興味を持ち、自主性を高め、グループ内での協力を増やし、仕事や将来につながる問題解決型の学び方を身につけることである。もちろん実際にこれを行うには、教師たちの連携も必要となる。また、年齢が低いうちは、ある程度教師による主導や決まったフォーマットが必要となるが、テーマの選定から調査、発表物の準備の際は子どもの意志や自主性を大切にし、教師はサポート役に回る。

変化しつつある教師の役割

ここまで述べてきた授業の様子からわかるように、教師の教え方もここ最近は変わりつつある。一方的に情報や知識を提供するのではなく、子どもが自ら学べるよう環境を整え、導いていくガイド役が教師の役割だ。

もちろん、文字や算数の九九など暗記が必須なものもあるし、年齢によっては教師の主導が必要だが、その場合も子ども自身に考える時間を与えることを忘れない。そして子どもたちが自分で必要な情報を探し、批判的に考えたり、分析したり、クラスメイトと協力し合いながら、問題解決や学びができるよう促す。

ただ、これは決して教師の仕事がなくなるとか、楽になるというわけではない。むしろ、いかに子どもたちのやる気を引き出していくかといった教育的な手腕が求められる。

また、新コアカリキュラムの更新に伴い、フィンランドではプログラミングも授業に加わった。といっても、独立した科目としてではなく、主には算数の中に組み込まれているが、それ以外にも国語や音楽や体育など全ての科目で横断的に取り入れられている。プログラミングというとパソコンに向かい、難しい数列やアルファベットを書いている様子を想像しがちだが、最も重要なのは、「こう動いてほしい」という明確な指示を順序よく与えていくことだ。そのため、ここで目標とされているのはプログラミング技能そのものの習得ではなく、その根底にある「プログラミング的思考」に親しむことだとされている。

このプログラミング授業は多くの教師にとっては新しい分野だが、事前研修が盛んに行われた。また、教師が全てを一方的に教える必要はなく、得意な子どもたちが他の子どもに教えるなどして、子どもたちが協力して自分たちで学ぶことが想定されている。ここでも、教師にはそのための環境や雰囲気をつくっていくことが求められているのだ。

多様な子どもたち、教師と専門家が連携

クロサーリ校の話に戻そう。ここでは、インクルーシブ教育の方針のもと、車椅子の子

どもも同じ教室で勉強していたり、学習障がいのある子どももアシスタントや特別支援教師の手を借りて同じ教室で勉強していたりする。ただ、学校内には特別支援教室もあり、教科や子どもの様子によっては別の教室で授業を受けられる。その辺りは担任教師や本人、家族の意向に基づいて柔軟に対応しているとのことだった。

インクルーシブ教育とは、障がいのある子どもと障がいのない子どもが共に教育を受けることで、2006年に国連総会で採択された「障害者の権利に関する条約」でも示されている。障がいを持つ子どもも他の子どもと同様に、家の近くの学校に通えれば、周りの子どもたちにとっても多様性や共生社会について身をもって学ぶいい機会になる。現在、フィンランドでは新コアカリキュラムのもとで、このインクルーシブ教育が通常となっている。

ただ、全く混乱がないわけではない。授業の進行が遅れたり、支援が必要な子どもが集中できなかったり、いじめの対象になってしまうこともある。実現のためには特別支援教師の適切な介入が必要だが、人員や専門家が足りていない場合も多く、教師の負担増の原因や、クラスの落ち着きのなさにつながっていることもある。一方で自然と子どもたちが多様性を学び、非常にうまくいっているケースも多くある。今後もインクルーシブ教育は標準であり続けることは間違いないため、専門の先生たちを増員したり、空間づくりを工夫したりしてクラス内で居心地良く、それぞれが集中できるやり方を試行錯誤している。

クロサーリ校には、さらに保健衛生を担当するスクールナース、ソーシャルワーカー、心理士の部屋があったが、これらの人たちは常駐しているわけではなく、いくつかの学校を掛け持ちしていて定期的に学校にやってくる。専門家がいない時は担任教師が緊急時にその役割を果たす。

「日本では、登校してもいろいろな理由から保健室で過ごす子どもたちがいるのだけれど、ここではどうか？」と聞いたところ、体調が悪い場合は簡易のベッドで休めるが、基本的にはそういう場合は親に迎えに来てもらったり、家に帰らせたりするのでそれ以外で保健室にずっといるケースはないとのことだった。さらに、様々な個別面談や話し合いができる個室も校内にはあり、児童間のいざこざや、いじめの話し合いもこちらで行われる。

成績は子どもとの話し合いで決まる

クロサーリ校で聞いた話で興味深かったことを、最後に一つ記しておこう。

成績といえば、日本では教師が一方的に評価するものと考えられているが、フィンランドでは教師と子どもが一緒に評価をする。学期の始まりに、今期の目標を共に立て、学期の終わりに、目標をどれだけ達成できたかを話し合ったうえで成績がつけられるのだ。小学校低学年であっても、子どもたちは各項目に対して、よくできた、まあまあできたなど、色を塗ったりグラフをつくったりしながら、自己評価をしていく。

これは、新コアカリキュラムの導入と共に普及した。その狙いは、子どもたちの幸福度と学習意欲の向上だ。このやり方では、テストの結果だけで評価することはないし、教師だけが一方的に成績を決めることもなければ、相対評価もありえない。自分で目標や評価が決められれば、満足度も上がり、学びにも主体的かつ積極的に取り組むきっかけにもなるというわけだ。最終的な通知表に数字はあるが、現場の教師は数字よりも、親や子どもとの面談や、評価に書くメッセージを大切にしているという。

このように、コアカリキュラムの更新や時代の移り変わりと共に教育現場にも様々な変化はあるが、フィンランドはもともと自治体や学校、教師に大きな裁量が与えられていて、最終的な決定権は現場にある。子どもが何をどうやって学ぶのか、何がベストかはそれぞれの教師や学校が判断して決められる。教室のレイアウト、デジタル機器の使い方、教師の授業の進め方など大きな全国的な流れや方向性はあっても、細かな現場の話を聞いてみると多少のバラつきはある。

現場の教師の反応は?

現場の教師たちはこのような変化についてどう感じているのだろうか。

ポジティブな変化として、「教師同士、児童同士、教師と児童、学校と両親の様々な協力が増えた」ことが複数の教師から聞かれた。今までは担任教師がクラスの児童のことを「私の子どもたち」と表現するほど、自分のクラスだけに注意が集中していた。それが、クラスにこだわらずに他の教師とも協力する機会が増えたことで、「私たちの子どもたち」という意識が強まったという。

一方で、教師の負担が大きくなったという意見もあった。実際、教師の労働組合の調査でも、91%の教師が新コアカリキュラムによって仕事の量が増えたと回答した。その増えた仕事とは、子どもへの指導時間ではなく、他の教師との打ち合わせや、授業の準備や記録、さらに児童の評価といったものだ。実際に、クロサーリ校の校長先生や見学を案内してくれた現場の教師たちも、教師である私の友人たちも大変さを語っている。

さらに、ベテランの教師からは、自主性を重んじる授業の難しさが語られていた。自律能力の高い子どもにとっては成果が出やすくうまくいくが、それが苦手な子どももいて、長い目で見ると落ちこぼれる原因になるのではないかというのだ。これは、今後の調査が待たれるところだ。

当の子どもたちはどう感じているのか。私が尋ねたところ、「授業が面白いよ!」という評価もあれば、辛辣に「教室が落ち着かない」「先生が何をしようとしているのかよくわからない」と言っている子どももいた。ただ、従来の前を向いて受ける授業よりも、動き回ったり、小グループで学んだり、デジタルツールを使ったり友人たちと教え合いながらの授業はおおむね楽しいようだ。

いずれにしても、新コアカリキュラムの理念に対しては、話を聞いた教師の多くが賛同していた。新コアカリキュラムは細かい部分をあまり規定していないので、目標や方向性を把握していれば、これまで以上に柔軟でクリエイティブな授業ができていいという声もある。新たな挑戦は楽しく、今では意欲を持って取り組めていると語ってくれた教師も多かった。教師と子どもが一緒に授業をつくっていく関係性は皆が理想と考えており、誰も、以前のように知識を一方的に与えるような関係性に戻りたいとは思っていないことが感じられる。

ウェルビーイングの改善

新コアカリキュラムの段階的導入から2年後、ＯＥＣＤのＰＩＳＡ２０１８の調査が行われ、翌年、結果が発表された。フィンランドは「読解力」で7位、「数学的リテラシー」で16位、そして「科学的リテラシー」で6位という順位だった（日本はそれぞれ15位、6位、5位）。以前に比べると若干の下降気味ではあっても、まだまだ世界の上位は維持できているようだ。今回、フィンランドのメディアで話題になったのは、男女の学力差、さらに生徒の経済的背景と学力との関係性で、「家から一番近い学校が一番いい学校」というフィンランドの理想をいかに今後も実現していくかについてだった。

ただ、今回の結果では良いこともあった。学力と共に生徒の健康や生活満足度、学習環境などについても調査が行われたが、フィンランドは生徒個人の生活に対する満足度がかなり高いことがわかったのだ。

一般的な傾向として、学力で順位の高い国は生活満足度が低く、生活満足度が高かった国の大半は学力の順位が低い。しかし、フィンランドは両方が高いという点で際立っている。これまで説明してきた新コアカリキュラムに加えて、子どもたちの学校でのウェルビーイングを支える取り組みを簡単に紹介しよう。いじめ防止を目的としたキヴァ・コウル（Kiva koulu）と、体をより多く動かすことを奨励する「スクール・オンザ・ムーブ」だ。

いじめ防止プログラム

いじめ防止のキヴァ・コウルはトゥルク大学が研究開発したプログラムで、2007年に39の学校で始まり、教育省が補助金を出して2009年から全国展開している。多い時で全国の約9割の小中学校が参加登録した。キヴァとは「楽しい」、コウルは「学校」を意味しており、キヴァ・コウルは「楽しい学校」を表す言葉だ。これまで私が訪問した学校もほとんどがこのプログラムに参加していて、校内のいろいろなところにキヴァ・コウルのロゴの看板が掲げられており、いじめがあった場合に相談したり、相手と話し合いができたりする個室をキヴァ・コウルの部屋と名付けていた。

いじめが継続する要因として、周りで見て見ぬふりをする傍観者の存在が大きいと研究で明らかになっている。このプログラムは傍観者に働きかけ、声を上げやすくし、被害者の支えとなるよう促すことに重点を置いている。そして、子どもだけでなく教師、保護者がいじめのメカニズムを正しく理解し、裏付けのある対処法や予防法が学べるよう情報を提供したり、いじめに関する小中学生向けの授業や学級活動の提案をしている。

面白い手法の一つがシミュレーションゲームだ。いわゆるコンピューターゲームのようにできていて、学校の日常が舞台だ。ある日、いじめを目撃してしまう。すると画面に「やめるように注意する」「先生に言う」「無視する」などの選択肢が出てきて、どれかを選ぶと、さらに話が進み次の選択肢が出てくる。加害者を怒らせて今度は自分がいじめの対象となってしまうといった現実に起きそうなことも盛り込まれている。それによって子どもたちそれぞれがいじめについて具体的に考え、対処法が学べるようになっている。さらにこうした取り組みは早期の問題発見・解決につながるだけでなく、このプログラムのロゴが入ったツールを学校中で使うことで、いじめを許さない強い意思表示や連帯感にもつながっている。

残念ながら、このキャンペーンを推進してもいじめはゼロになっていないが、良い影響をもたらしているのは確かなようだ。キヴァ・コウルの効果については様々な研究発表がされていて、キヴァ・コウルのホームページによると、2009年の時点では学校に安心感を抱いていない子ども（小学4年生から中学3年生）が約10%いたが、2015年には約4%と半減している。それに伴って、学習意欲や成績にもいい効果が表れているという。

いじめの被害にあう子どもの割合も、加害者の割合も、少しずつ減少傾向にある。プログラムに参加している学校内で、2009年にいじめにあったという学生は16%以上いたが、2017~18年には約11%に減少した。このプログラムは最近では海外からも注目され、オランダやイギリス、スペインなどでも導入されている。

ただ、いじめ予防やいじめの初期段階では一定の効果が認められていても、中学生以上や長期的ないじめには効果が薄いなどの意見が出ているし、2010年代後半から参加校のいじめの報告件数が下げ止まる傾向が見られているという。ネットやSNSに舞台を移したいじめに効果があるか、疑問視する声もある。そこで最近は、プログラムに参加せずにキヴァ・コウルを応用させた独自のプログラムをつくって運用している学校も増えている。

体を動かしながら算数を学ぶ

もう一つのキャンペーンである「スクール・オンザ・ムーブ」は「運動する学校」を意味する。子どもたちに体を動かすことを促すキャンペーンだ。毎日少なくとも1~2時間は体を動かし、2時間以上、連続して座らない、テレビやゲームの画面は2時間以上見ない……という国の推奨に基づいて始まったものだ。キャンペーンに参加したら、各学校は子どもも交えてチームをつくり、話し合いながら方法を探る。

中学校で教師をしている友人は、「数年前と比べて、明らかに休み時間に体を動かしている生徒が増えた」と大きな変化を感じていた。その学校では、キャンペーンに参加して以降、借りられるスポーツ用具を増やしたところ、運動がより身近になったという。

別の知人も笑いながらこう語っていた。「休み時間になれば、子どもたちはとりあえずみんな自分の携帯でSNSやメッセージをチェック。それは止められないわよね、今の時代。でもその後に校庭でサッカーをしてるのよ。それに運動があまり得意でない子でも、廊下に置いてある卓球台で『一緒に卓球してみない?』と誘うと、一緒にやってくれる。私が中学の時からしたら信じられない! 中学生が休み時間にスポーツをするなんて!」。

また、この学校には小学校と中学校が併設されていて、中学生が小学校低学年の世話をする姉妹学級制度がある。スクール・オンザ・ムーブに参加してからは、上級生たちがそれぞれの姉妹学級の子どもたちと遊ぶ姿が休み時間に見られるようになったという。

スクール・オンザ・ムーブは体を動かす以外にも、子どもが積極的に学校づくりに関わりアイデアを出し合うことを目標にしていて、全国で7割の学校が参加している。さらに、

いずれもスクール・オンザ・ムーブの実践例。
（上）立った姿勢で勉強をしたり、バランスボールを活用したり、
（下）身体を使いながら算数の授業を行ったりする

（Liikkuva koulu）

休み時間や体育の授業だけでなく、他の教科の授業中にいかに座り続けているのを中断するかも取り組みの一つだ。

例えば、高さを変えられる机を導入して立って授業を受けたり、途中で姿勢を変えて寝そべって教科書を読んだり、バランスボールに座ったりする。教室の壁のあちこちに数字を貼っておいて、算数の計算の答えを壁の数字に触れさせることで示す、英単語が書かれた紙を教室のあちこちに隠しておいてそれらを探してくる、といったユニークな工夫も見られる。こうしたノウハウの共有も、スクール・オンザ・ムーブには謳(うた)われている。

これだけ体を動かすよう促しているのは、体を動かしてエネルギーを発散することで、より落ち着いて授業に取り組めるからだ。皆で一緒にキャンペーンに取り組むことで、教師と子どもの交流が増えることもポジティブな変化だ。

フィンランドはもともと授業で外に出たり、森に行ったりすることは珍しくなく、昔から日本と比べるとはるかに体を動かしているような気がするのだが、まだ足りないらしい。これまで、8歳以下の子どもには1日1~2時間ほど体を動かすことが推奨されていたが、2016年秋には、1日3時間となった。デジタル機器に触れる時間が増えたことが理由だという。

教師のワークライフバランス

これだけ体を動かすことを推進するフィンランドだが、部活動は基本的にはない。授業以外のスポーツや文化活動には、習い事として学校外で取り組むことになっている。子どもたちは学校が終わって帰宅してから、練習やレッスンに出かけていく。練習の頻度はピンからキリで、厳しいところやトップレベルを目指すような場合は、毎日何時間も練習が続くが、週に一～二度程度のものもある。複数の習い事やスポーツをゆるく長く続けて、一生の趣味にする場合もある。フィンランドの友人と話していて「日本では一つの種目に絞って、毎日練習することが多い」と言ったら、「どうして？　意味がわからない。夏に一つ、冬に一つでもいいし、可能性を一つに絞らないでいろいろ楽しめばいいのに」と言われたこともある。

思えば、スポーツだけでなく音楽にしても、日本では一つに絞ってその道を究めるということが称賛されるが、フィンランドではもっとおおらかで、複数のことに興味があったら、それぞれを好きなだけ楽しむ傾向がある。それに、スポーツはオリンピックやトップレベルを目指す競技スポーツが全てではなく、健康やストレス解消を目的としている人も多い。だから仕事と趣味でも、両方を楽しんで趣味を後に本業にする人もいるし、スポーツでも複数の競技で成功する場合もある。そこにワークライフバランスが整っていることも加わって、1日にスポーツを楽しむ時間は、OECDの統計によるとフィンランド人が世界トップクラスだ。

一部の親からは、学校で部活のようなものをやってくれると楽なのにという声もある。習い事が徒歩圏内にあるわけではないので、車で送り迎えをしたり、食事の時間を習い事のスケジュールに合わせたりと、いろいろな調整が必要だからだ。現在、多くの自治体では、国の援助を受けて学校内の週1～2回のクラブ活動が試験的に行われている。基本的に参加は自由で、無料。クラブ活動の監督は必ずしも教師ではなく外部に依頼し、活動費は国や自治体がカバーする。親のためというより、子どもたちが授業以外の楽しみや新たな趣味を見つけてウェルビーイングを向上させることが目標だ。

しかし、部活動がないことは、教師にとっては大幅な負担軽減につながる。2018年のOECDの「国際教員指導環境調査」(TALIS)によると、中学校教師の指導時間数は日本が週18時間、フィンランドは20・7時間と日本の方が短い。しかし、総合労働時間となると、日本は約56時間なのに対してフィンランドは33・3時間と圧倒的に短い。調査

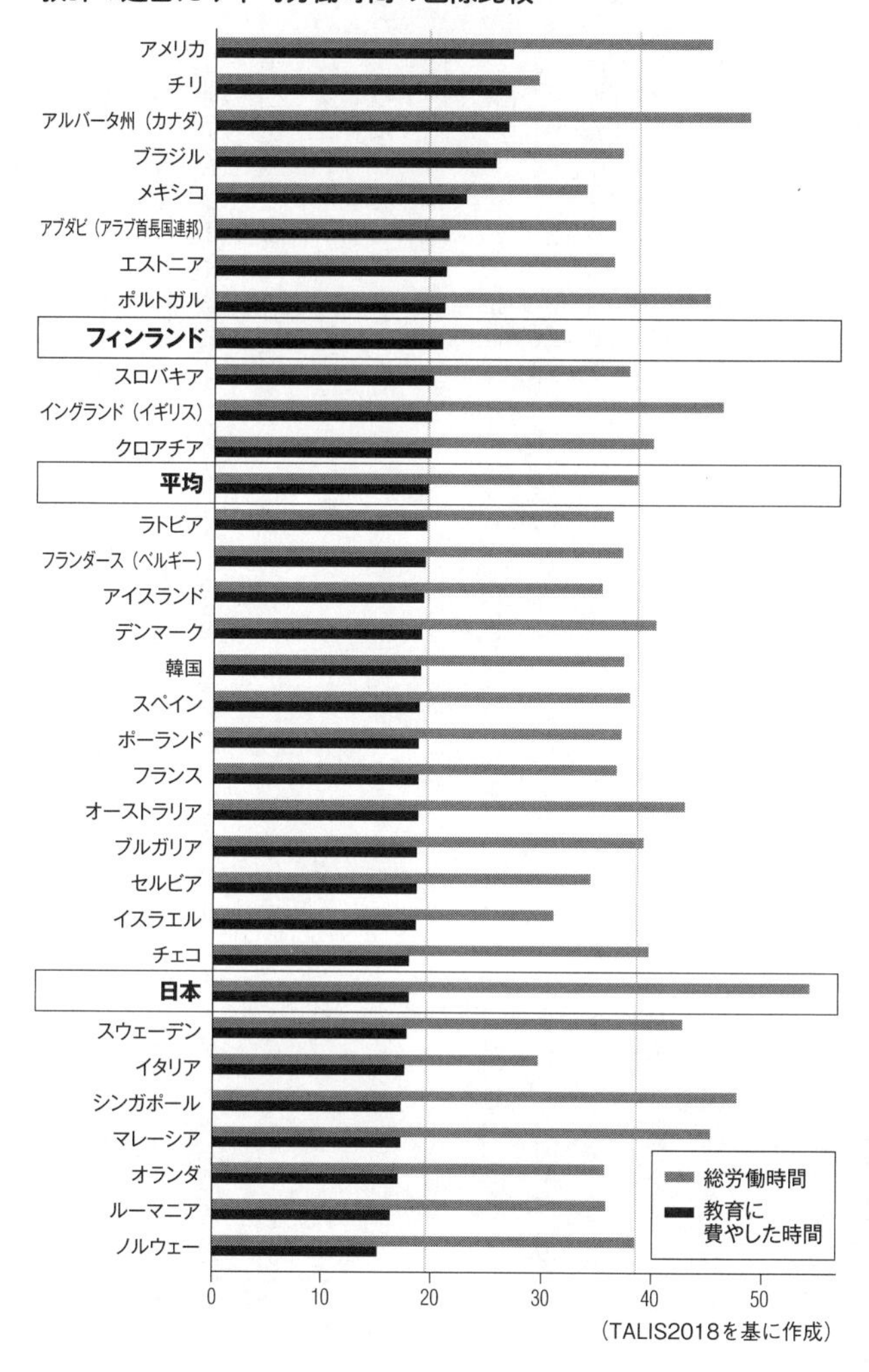

（TALIS2018を基に作成）

国平均の38・3時間よりも少ないのだ。

内訳を見ると、日本では圧倒的に課外活動や学校運営に教師が費やす時間が多く、フィンランドは授業以外に費やす時間がOECD平均よりも少ない。学校運営に関わる仕事や事務処理は極力少なくして、各専門家にお願いする。スクールカウンセラーや給食の栄養士、事務担当者と連携は取るが、教師は基本的に授業に集中する。この、教育に専念できるのがフィンランドの教師の良いところで、14〜15時に授業が終われば、たとえ子どもがまだ学校にいても帰宅してしまい、授業の準備なども自宅で行うことも多い。掃除は外部の清掃担当者に任せる。

フィンランドにも担任に相当する教師はいるが、「連絡・相談窓口」という位置づけだ。あくまで学校と家庭の最初の窓口で、やりとりは電子連絡帳や電話を使ったりし、必要に応じて勤務時間中に対面での話し合いが持たれる。フィンランドにもモンスターペアレントやネグレクトなど問題はあるが、よほどの緊急事態ではない限り休みの時にまで対応する義務はなく、それらの問題には学校内外の専門家たちと連携し合って対応する。担任教師が1人で抱え込むことはない。

例えば、私の友人の子どもが、感情の起伏が激しく、親子関係、友人関係がうまくいかずにいた時があった。最初に親子の相談にのったのは担任教師だったが、その後はスクールカウンセラーと心理士、スクールナースが介入した。家庭にも、自治体から家庭支援の専門職であるファミリーワーカーが派遣され、解決に向けて親と子どもの両方とカウンセリングが行われたり、医療や心理の専門家との連携が取られたりした。根本的な解決はなかなか難しいが、担任教師や親が自分たちだけで背負い込む必要はなく、チームで解決方法や対応を考えられるのは心強い。

地域や学生ボランティアとも連携

時には地域や学生の手も借りる。例えば支援の必要な子どもや授業のサポートにあたっては、教育に関心のある学生や研修生にもお願いし、目が届くように工夫する。コロナ前は、「学校おじいちゃん」「学校おばあちゃん」として地域の高齢者にボランティアで学校に来てもらい、授業が始まる前の朝の時間を一緒に過ごしてもらったり、読み聞かせをしてもらったり、図工や体育でサポートに入ってもらったりしていた学校もある。主に低学年の子どもたちが対象だが、双方にとって一緒に過ごす時間は楽しく、それが地域のコミュニティとの結びつき強化にもつながっている。

そして教師のワークライフバランスで重要なのは、学校の夏休みが2ヵ月半あり、教師も2ヵ月休みを取ることだ。「給料はそれほど高いとはいえないが、教師の職の良いところは休みが長いこと」というのはフィンランドでは一般的な認識だ。

同時に教師という職は、肉体的にも精神的にも重労働だと理解されていて、長い休みは当然だとも皆が感じている。きっちり休むからこそ、毎日子どもと向き合い、充実した授業ができる。それに教師も自分で勉強する時間がなければ良い授業はできない。教師のワークライフバランスの実現は、子どもたちのために重要なのだ。

ワークライフバランスやウェルビーイングを大切にするフィンランドでは、教師も例外ではなく、より良い仕事をするためにも仕事以外の時間を大切にすることは当然だと広く認識されている。だからプライベートの時間はできるだけ削らず、勤務時間内に最善を尽くせばいいと考えられているわけだ。

コロナ禍の遠隔授業

フィンランドも2020年春、新型コロナウイルス感染拡大の影響を受けて、一時期、小中高全ての学校で対面授業が中止になり、遠隔授業となった。それ以前にも大学レベルではオンラインコースがいくつか行われていたが、義務教育では初めての試みだった。しかし、対面授業中止の要請が出て、たった2日後には遠隔授業が全国で始まっている。

もちろん教師も親も子どもたちもとまどいがなかったわけではない。ただ、子どもには教育を受ける権利があり、子どもの1日の生活リズムを守ることが緊急事態にこそ大切だと考えられ、すぐに遠隔授業が始まったのだった。

全ての子どもがタブレットやパソコンを持っていたわけではないので、当初はオンライン授業ができたクラスとできなかったところがある。ツールがない家庭には学校から貸し出したり、地元企業からの寄付でカバーしたりしたところもある。ただ、フィンランドの場合はほとんどの子どもたちが小学校1年から自分の携帯を持っている。加えて、前述の電子連絡帳が普及しているので、日々の時間割や課題はオンラインで連絡が済む。現場に裁量があるからこそ、学校や教師が素早く判断して、可能なことから迅速に始めることができた。

遠隔授業といっても、常にオンラインでつないで授業が行われていたわけではない。「今日は教科書の〇〇ページを読んで、次の課題をやりなさい。回答は携帯で写真を撮って先生に送ってください」といった自習型タイプの授業や、クラスメイトと通信アプリで相談して教師の課題や教科書にある問いかけに回答して送るものも多くあった。環境が整い始めてからは教師とオンラインでつないで授業やホームルームも行われた。

在宅の利点を生かした授業もあった。例えば算数では家の面積を測るとか、体育では近所を散歩して見つけた植物の写真を送るとか、家で料理をつくる、自転車のメンテナンスをするなど、教師の創意工夫でより生活に密着した、より実践的で、家族とも容易に協力できる授業や課題も見られた。

当初はトラブルも多くあったが、試行錯誤を重ねていくうちに、教師も子どもも親も遠隔授業に慣れていったようだ。またはじめは完全に遠隔としていたものの、状況に応じた柔軟な対応も取られるようになっていった。例えば、どうしても親が外で働かなければならない家庭は、低学年の子どもたちは必要に応じて学校に来てもいいことになった。自治体によっては給食を用意したところもある。

教師の負担は非常に大きかったが、アンケート調査によると、子どもの多くは遠隔授業に満足したようである。また、親からは教師への尊敬の念が増したとの声が多い。親も多くが在宅勤務になり、子どもたちと同じ空間で長時間過ごす中、毎日大勢の子どもたちと連絡を取り、根気よくわからないところを教えたり、飽きさせない授業の工夫をしたりする教師に、改めて感謝する気持ちが生まれたようだ。

ただ、良かったことばかりではない。問題のある家庭の場合、子どもたちのウェルビーイングに悪影響が出たり、学力の落ち込みがあったとの調査が出ている。

2020年の春は、約2ヵ月ほどで感染状況が落ち着き対面授業に戻った。その後は、義務教育は対面授業を基本としているが、濃厚接触の疑いで自宅待機になった場合や、感染が拡大した際には、一時的に遠隔授業に切り替わっている。

地元の学校が一番

このように、世界的な評価は高くても、フィンランドの教育界では今も貪欲な模索が続いている。PISAなどの学力調査の順位にこだわらず、子どもたちにどんな大人になってほしいか、どうなることが国にとって望ましいのかといったことを長期的な視点で考えながら、フットワーク軽く試行錯誤を繰り返すところがフィンランドの良さだ。

今、フィンランドの義務教育は世界一かと問われれば、私は決して「はい」とは言えない。だが、一人ひとりの個の部分に目を向け、学校や教師に大きな裁量権を与え、詰め込み式に頼らずに新たなアプローチを探る様子に、以前と変わらない教育への高い関心と熱量を感じる。

一貫して変わっていない部分もある。それは平等への強い思いだ。どの親も、自分の子どもには最高の環境を与えたいと願っている。その最高の教育の場が、どこに住んでいても家の近くにあり、貧富に関係なく皆が享受できることが昔も今も理想なのだ。だからこそ、全ての学校が親や地域からの高い信頼を維持できるよう、自治体も国も努力をする。

また、フィンランドには日本のような学習塾も存在しない。勉強は学校と家ですれば十分で、子どものウェルビーイングと、機会の平等の観点から必要ないと考えられている。ただ、厳密に言うと医学部や建築、アートといった特殊で狭き門の学部を受験する学生のため、最近は入試対策コースのような有料講座が存在する。それについて教育大臣は「由々しき問題」とコメントしている。お金の有無で機会の不平等があってはならないという理由からだ。

そして、この考え方は教育にだけ及んでいるわけではない。全ての人たちに平等で公平な機会をつくるという発想は、フィンランドの社会や福祉サービス全ての根幹になっている。

第４章
福祉国家の起業ブームとリカレント教育

アールト大学の校舎。同校からは多数のスタートアップが誕生し、起業ブームを支えている（写真提供：森一貴）

起業立国としての一面

フィンランドは失業率が6～7％台と高く、雇用の創出が大きな課題である。大学を卒業しても就職できない若者も多く、経験豊富なベテランの労働者でも職を失うことがある。福祉国家の維持には、労働市場に参加する納税者を増やすことが大事ではあるが、マーケットが小さく、大企業のほとんどないこの国では、雇用の創出は容易ではない。また、新しいソリューション、産業、アイデアがなければ、経済が先細りになってしまう。そこで、フィンランドは起業やイノベーション、それを担う人材の開発や発掘に期待を寄せ、手厚い支援も行っている。

これまでの章でフィンランドがいかに社会保障や平等を重んじるかを述べてきた。それを踏まえると意外に思う人もいるかもしれないが、現在フィンランドでは起業に積極的な人が増えている。

世界的に注目されているスタートアップも続々と誕生している。指輪型の睡眠トラッキングのＩｏＴデバイスを提供するOura Ring。センサーでゴミ容器内の状況を可視化し、ゴミ回収作業を劇的に効率化させたエネボ（Enevo）。移動手段のサービス化を表す「モビリティー・アズ・ア・サービス」(MaaS)を用いたサービスで世界中から注目されるアプリWhim(ウィム)を運営するMaaS Global。日本にも進出したフードデリバリー会社Wolt。全天候型自動運転のソフトウェアを提供し、無印良品やトヨタとコラボしているセンシブル4。そして、人気オンラインゲーム「クラッシュオブクラン」や「ヘイデイ」などのタイトルで知られるゲーム開発会社のスーパーセル、「アングリーバード」のロビオなどは、今や国際的な大企業だ。

これらはいずれも、2000年代に入って生まれたフィンランド発のスタートアップ企業である。こうした状況から、BBCやForbesといった海外や日本のメディアもフィンランドをヨーロッパのスタートアップハブとして報じたり、2020年には「スタートアップエコシステム」の世界ランキングでヘルシンキとその周辺地域が4位に入ったりした。特に人材への評価が高く、商業的に成功しているアプリ開発者の人口あたりの数は、シリコンバレーに次いで多い。また、人口の割に価値の高いベンチャー企業が多く、2021年に受けたベンチャーキャピタルの資本も欧州一の多さだ。

ビジネス・フィンランドの統計によると、毎年、約4000社に及ぶスタートアップが誕生しているという。人口あたりのスタートアップの数は欧州で4番目に多く、平均の

2・7倍だ。3年間で大きく成長したスタートアップは300〜400社に及び、海外からのスタートアップへの投資額も2010年以降で10倍に増え、年間2億ユーロ以上にのぼっている。2018年のGDP比で言えば、フィンランドのスタートアップに集まった投資額はヨーロッパ最大で、欧州平均の2倍だ。

起業立国を支える要因としては、政府や公的機関による積極的な支援もあるが、それだけではない。以下で述べるスラッシュの功績やノキアの存在、教育の影響、さらには福祉国家ならではの事情など、その背景にはフィンランドらしい一面が絡んでいる。

学生主体のスタートアップイベント「スラッシュ」

フィンランドでは昔からスタートアップが盛んだったわけではない。かつては起業家に対して冷たい視線を送る人も少なくなかったし、多くの学生はノキアなど大企業への就職を目指していた。

状況が変わり始めたのは、リーマンショック（2008年）の影響が顕著になった2000年代後半からだろう。EU経済危機（2010年）の影響も大きい。業績悪化によりノキアは携帯事業を売却し、製紙など大手企業も次々と工場を閉鎖した。そして、200

8年から、のちに「世界一クールなスタートアップの祭典」と呼ばれるまでに成長した起業イベント「スラッシュ」(Slush)が始まっている。このスラッシュはフィンランドの起業ブームの象徴的な存在だ。

スラッシュは毎年11月頃にヘルシンキで開催される。暗くてみぞれが降るジメジメしたこの季節に、ぬかるみを意味する「スラッシュ」という名前を冠して行われるこのイベントは、当初は300人規模の催しに過ぎなかった。しかし、現在は起業家、投資家、学生から王室、国家元首まで、世界中から約2万人以上が集まるほどに成長した。2019年にはスタートアップ企業が3500社以上、投資家2000人が参加している。

通常のシンポジウムとは違って、フェスに来たかのようなレーザー光線やスポットライトに音楽。参加者もスタッフもTシャツにジーンズといったラフな格好の人が多い。

メインステージでは著名な経済人やインフルエンサーが英語でユーモアたっぷりのプレゼンを行い、それに対して大歓声が上がる。ステージの脇では自社の技術やビジネスアイデアを熱心に語る人や、交流してネットワークを広げている人たちが大勢いる。何だかよくわからないが「スタートアップの世界はかっこいい!」と思わせてくれる要素が満載なのだ。

実際、高校生へ「将来のキャリアの選択肢として起業を考えているか」と尋ねた調査では、２００８年には肯定的な回答をしたのはたった2%だったが、２０１８年には47%にまで跳ね上がっている。スラッシュの一番の功績は、スタートアップや起業のイメージをよりポジティブなものに変え、特に若者の間に新たな文化をつくったことだ。

アールト大学のスタートアップセンターでアドバイザーをつとめるタピオ・シークは、私の取材に対して、現在の起業ブームは政府が仕掛けたものではなく、若い世代がきっかけだったと語ってくれた。「彼ら自身が起業って楽しいし、助け合って面白いことしよう！　と行動したことが、今につながっていると思うよ」とのこと。

もともとスラッシュは、世界不況の中、新たな投資家やノウハウを探し求める起業家たちや、大企業で働く以外の生き方を模索しようという若者たちが集まったのがきっかけだった。スタートアップイベントや経済シンポジウムは世界にあまたあるが、スラッシュの一番の特徴は、開催当初から今まで、運営しているのが経済界の大人でも、国や自治体といった公的機関でもなく、ボランティアの学生たちだということだ。現在も学生が運営にあたっており、世界の経済界のトップや経営者たちと直接話ができる良い機会となっている。先ほど紹介したフードデリバリーサービス Wolt の創立者ミキ・クーシは、スラッシュの初代ＣＥＯだ。

今ではフィンランドだけでなく、アジアや欧州の他の国々にも波及し、日本でも２０１5年～19年にわたり「Slush Tokyo」が開催された。

ノキア発のスタートアップ

起業ブームの背景には、ノキアの携帯事業の売却も大きく関係している。ノキアで働いていた優秀な技術系人材が放出されたことで、起業家が技術者の力を借りて、アイデアを実現しやすくなったのだ。また、ノキア自体が、解雇する従業員の起業支援や再教育に積極的に取り組んだことも大きい。

ノキアと言えば、２０１１年まで世界最大の携帯電話端末メーカーとして君臨したグローバル企業で、フィンランド人の誇りでもあった。フィンランドのような小さな国から生まれた企業でも世界を席巻することができると証明し、フィンランド人に大きな自信をもたらした存在だった。

しかしスマートフォン戦略の失敗から、２０１３年9月に花形の携帯事業をマイクロソフトに売却。今は通信インフラ設備の開発やネットワーク構築を中心にグローバルな成長を続けている。ノキアは携帯事業の切り離しに際して、その事業に関わっていた労働力の削減を行った。その規模は、フィンランド国内だけでも下請け業者の従業員まで含めると数千人単位に及んだ。

だが、やみくもに社員をリストラしたわけではない。携帯事業を手放す前の2011年から、ブリッジ（Bridge）というリストラ支援プログラムが始まった。これは一般的な再就職支援や教育・研究機関に戻ることへの支援に加え、起業してイノベーションを目指す社員を支援し、資金の調達に際してエンジェル投資家やキャピタリスト、他の起業家への橋渡しをするものである。それによって、ノキアを退職した社員が立ち上げたスタートアップが多く誕生している。

このプログラムでは、ビジネスのアイデアを持つ社員が他の仲間を見つけ、チームをつくることも奨励した。そのアイデアをプレゼンさせ、優れていると判断すれば、プログラムから資金が提供される（平均約1～2万5000ユーロ：2015年アールト大学&EU&フィンランド経済雇用省の調査）。また、一部のチームは会社設立後、ノキアのリサーチセンターにあるスタートアップセンターに入り、アドバイスや指導、他の起業家や関係各社とのネットワークづくりなどの支援を受けられる。さらに、銀行から融資を得やすいよう便宜を図ったり、自社の技術提供まで行ったりしている。

２０１１～13年にこのブリッジプログラムに関係したリストラ対象者は世界で1万８０００人。フィンランド国内だけでも５０００人いた。そして全世界で１０００社以上が誕生した。その後、２０１３年末の段階では、起業した会社の90％近くが生き残っており、フィンランドの同分野の企業の平均よりも高い売上高を上げ、新たな雇用も生み出していることがわかった。このブリッジプログラム利用者の満足度は85％と非常に高い。

起業家を育てる教育

教育機関が果たしている役割も大きい。現在、各大学にはスタートアップを支援する拠点や、起業家精神を育てるプログラムが存在している。中でも、アールト大学から誕生したスタートアップの数は、全国の大学由来のスタートアップのうち半分を占め、毎年１００社近くになる。同大学のベンチャープログラムでは、ここ4年間で２０００人以上の学生が起業を学んだ。

アールト大学はもともと、イノベーションを起こすことを目的に、工学系、アート系、ビジネス系の大学が合併して２０１０年に誕生した。この大学で人気の授業プログラムに

アールト大学の校舎内の様子　（写真提供：森一貴）

「デザインファクトリー」というものがある。大学合併以前の1997年から続く授業で、机上の空論やシミュレーションを行うだけではなく、実践的な問題解決を体験し、製品開発にまで結びつけてほしいとの狙いから誕生したものだ。その拠点となっているのは大学敷地内に立つ倉庫のような場所で、チーム作業や会議ができるようなたくさんのスペースがあり、3Dプリンターや工作機械などもある。

ここでは40以上のコースが提供され、専攻にかかわらず年間2000人近い学生たちが学ぶ。これらのコースでは様々な企業がスポンサーとなり、受講者は企業から出される課題を受けて、解決策や製品を約1年かけて導き出していく。

2017~18年の製品開発プロジェクトには、12の企業が参加した。日本の村田製作所やSAAB、ABBといった国際的企業の名前もある。村田製作所のチームには、救急車での搬送時、振動が少なく患者がより快適に過ごせるためのソリューションを、村田製作所のセンサー技術を使って導くプロジェクトが与えられた。他の企業からの課題には、家庭の食品ロスを減らすためのアプリの開発や、海中の自動探査機の次世代型の開発といったものもあった。

参加者たちは得意なことを活かしてアイデアを出し合い、プロトタイプをつくり、最後には企業に向けてプレゼンを行う。このプログラムに参加したからといって必ず起業するわけではないが、ここで生まれたアイデアをより発展させて起業に結びついたケースや、そこで知り合った仲間と起業したケースもあるという。さらに、企業が学生たちのプレゼンを気に入り、実際に商品化したり、学生を雇用したりしたこともある。プログラムを通してチームメートとの絆や人脈が築かれるのも醍醐味の一つだ。

さらに、大学内にはスタートアップ企業にコンサルタントなどのサービスを提供するスタートアップセンターや、企業と大学が一緒になったワークスペースもある。こうした施設は全国各地の大学に見られ、地元の自治体や企業と連携している。

大学教育以前から起業家精神を教えようという動きもある。幼児教育や義務教育課程にも関連授業という形で組み込まれているし、新コアカリキュラムでも、起業家精神は子どもたちが未来のために必要とする能力の一つと明記されている。

先述のアールト大学スタートアップセンターのタピオ・シークも、「リスクはあっても自分で考えて行動に移そうという自立精神、自分で考えてとりあえずやってみる勇気が、より起業に好意的な文化を育て、国の未来をつくる」と述べ、起業家精神の教育の重要性はマインドにあると語っていた。

実際の起業家の声

フィンランドで実際に起業した人たちはどう感じているのだろうか。

セバスチャン・ネメスは、2018年5月から適用されたEU一般データ保護規則(GDPR)に関するソリューションを企業に提供するべく、2017年にスタートアップPoytyrを立ち上げた。GDPRはEUが個人情報の保護という基本的人権の確保を目的に制定したもので、EUを含む欧州経済領域(EEA)域内で取得した「氏名」や「メールアドレス」「クレジットカード番号」などの個人データをＥＥＡ域外に移転することを原則禁止している。

ネメスはもともと、特に起業に興味があったわけではなかった。オーストラリアから縁あってフィンランドに移り、フリーランスのソフトウェアエンジニアとして働いていたが、この国でエンジニアとしてやっていくには幅広い技術や知識が必要で、勉強の必要性を感じたという。そこでアールト大学の修士課程で、国際デザインビジネスマネージメントを学び始めた。

そんな２０１７年のはじめ、ネメスがたまたま知り合った個人情報などを専門とするフィンランド人弁護士が酒の席で、「来年ＧＤＰＲが適用されたら、多くの企業が混乱するだろうし、いろいろな問題が出てくるに違いない」とつぶやいた。それを聞いて、エンジニアとして何かソリューションをつくれないかと思い、その弁護士と友人に声をかけてビジネスアイデアを練り始めた。その頃、大学ではベンチャープログラムに参加しており、授業でスタートアップのシミュレーションを行う中でアイデアをピッチング（披露）したところ、好感触を得た。

その後ネメスは、アールト大学を拠点に起業支援をする「スタートアップサウナ」が運営する、Kiuas Team UP（キウアス・チーム・アップ）に参加した。このイベントはビジネスアイデアを実行に移せるよう、起業家たちの背中を押すことを目的としたものだ。３日間で起業に興味のある人たち同士が交流して仲間をつくり、専門家によるワークショップを受け、最後にアイデアをピッチングする。

ネメスが参加した回には２００人が参加し、合宿中に35のチームが誕生した。そしてイベント最後のピッチングで、ネメスのチームPoytyrは何と優勝。それによって、スタートアップの専門家を紹介してもらえ、コンサルタントや無料のワークスペースの提供も受けた。さらに、優勝した実績からすぐに複数の投資家から高い関心が寄せられ、本格的に起業へと進むことになった。

ネメスのチームは、プレシードと呼ばれる、まだアイデアだけで芽も出ていない設立準備段階での資金調達は、二つのベンチャーキャピタルから受けた。一つは学生たちが運営し、北欧諸国の有望なチームのプレシードや起業直後の段階にある企業へと投資をしているWave Venturesで、もう一つが実績も注目度も高いLifeline Ventures。特に後者の投資を受けたことで、基盤がより強固になっただけでなく、メディアの関心も集めることにもなった。また、大学のベンチャープログラムのネットワークも、カギとなる人たちとつながるのに役立ったという。さらにその後、フィンランドの公的機関ビジネス・フィンランドから補助金を、国営の金融会社 Finnvera からはビジネスローンを受けた。

しかし、設立の準備が順調に進むのとは裏腹に、ネメスは不安定で不透明な航海に踏み出す起業家としての心の準備はできていなかったという。注目度が高いゆえのプレッシャーも感じていた。そんな時、資金を提供してくれていたベンチャーキャピタルが他の起業家や社長とつないでくれた。似たような立場を経験した人たちの話を聞いてみると、決して自分だけが悩み、特別なのではないと感じたそうだ。

総じてフィンランドは起業に対して非常に好意的でオープンな国だとネメスは言う。自治体や大学など身近に様々な起業相談やサポートの体制がフィンランドでは整っており、さらに登記や様々な手続きなどもオンラインで済むことが多いし、柔軟性もある。

会社を立ち上げて1年後のネメスに目標を聞いた時は、海外進出の夢を語る一方、このまま起業家として道を進むか、いつかまた安定した仕事に戻るかはまだ決めていないと話してくれた。「6ヵ月先のことも全く読めないし、その間に計画が全てダメになるかもしれない。常に何事にも準備をしておくこと、それが起業家にとって必須だと思う。5年後、形は何であれ、自分がやりたいことをやっている自分でいたいよ」。

結局、彼はその後会社を閉じることにし、学生として修士号の勉強と論文執筆に専念した。短い間だったが、起業経験はほろ苦くも良い人生のレッスンになったと語っている。

起業大国に導いた原動力

起業を支えるフィンランドのスタートアップエコシステムの特徴はどこにあるのだろうか。アールト大学のタピオ・シークは以下の要素を挙げる。

1、政治的にも社会的にも安定している。汚職も少なく透明性が高い
2、教育の質が高く、優秀な人材が多い。語学力も高く、はじめからグローバル志向
3、様々なサポート体制が整っていて、先輩起業家の実体験に触れられる。公的機関による資金援助も手厚い。エンジェル投資家やベンチャーキャピタルはまだまだ少ないが、いい方に向かっている
4、起業に対して社会が肯定的。成功した起業家は社会的尊敬が得られ、社会貢献にも熱心。若い企業やスタートアップを育てようと、いいサイクルができ上がっている

同様のことは他の人からも聞くことができた。ビジネス・フィンランドのペッカ・ライティネン元カントリーマネージャーや渥美栄司氏は、シリコンバレーで成功するためにはコミュニティの中核に入り込む必要があるが、そのためには強力な弁護士や投資家、起業家といったインフルエンサーに近づき、自分の価値を認めてもらわなければならない。しかしライバルとなる起業家の数も膨大なので競争が激しく、インフルエンサーやその周辺と特別なつながりがない限り難しいとされる。それに対してフィンランドは競争より協調を好み、起業家の数もまだ多すぎないため、スタートアップのコミュニティはフラットでオープンだと語る。人口も多くないので、誰か一人と信頼関係が築ければ、そこからすぐにネットワークができ、巨大な資金やコネがなくとも起業してやっていけるのだ。

フィンランド人の起業家に「ライバルになるかもしれないのに、なぜフィンランドの起業家は助け合うのか」と聞くと、答えはいつもシンプルに「フィンランドは小さい国だから」と返ってくる。フィンランドは人口規模で見れば550万人の小さな国で、世間は狭い。同じ志を持つ仲間同士、情報交換して、成功も失敗も経験を共有し、一緒に切磋琢磨して生き残ろうと助け合う。共に頑張っていこうという意識が高いのだそうだ。

ただ、フィンランドでは起業しやすい一方で、世界的大企業にまで成長するのは現時点では難しいかもしれない。爆発的な成長に必要なリスクマネーが潤沢な環境ではないためだ。先述した渥美氏いわく「場外ホームランは少ないが、ツーベースやシングルヒット、すごくニッチだが、とがったものもある。アイデアや技術は意外に奇抜なものではなく、ありそうでなかったもの、論文にはならないが実際に役に立つものなどが多い」という。

そのアイデアの披露や起業の動機で最近よく聞かれるのは、大きく儲けたいというより、社会を変えたい、人のために役に立ちたい、自分が信じるものを広めたい、といった言葉だ。例えば、添加物を使わない体にいいチョコレートブランドとして人気のGoodioは、ゲーム開発をしていたエンジニアによる、健康にも良くカカオの生産者にとっても公平で、信頼できるチョコレートブランドをつくりたいとの思いから生まれたスタートアップだ。

同じように社会や地球環境、地域に配慮した考え方や行動を心がける人が近年では多くなり、サステナブルなファッションや食品を扱うスタートアップも続々と生まれている。フードロス対策のアプリや廃棄物ゼロに取り組むレストラン、昆虫食ビジネス、従来のプラスチックに代わる新たな材質を開発するビジネスなどもその典型だ。こういった社会や世界への思いが、大学や研究所発の技術と結びつき起業の原動力にもなっているようだ。

失敗に寛容な社会

さらに、私から見て大きいと思うのが「政府からの支援」と「失敗に寛容な雰囲気」だ。フィンランドにはスタートアップ手当があり、起業を目指している人なら、最高で一ヵ月に換算すると約700ユーロ（約9万円）の支援を最長で12ヵ月間受けることができる。支給の条件は、現在失業中、もしくはこれからフルタイムで起業家として働こうとしていることで、起業計画などの審査がある。この手当は外国人にも開かれていて、良いプランと将来性があれば、国籍にかかわらず起業家として在留許可を得て、フィンランドに住むことができる。資金やコンサルタントなどの支援を受けることも可能だ。国としても起業が盛んになればイノベーションや雇用が生まれるだけでなく、海外からの投資や企業誘致にもつながり得るので、創業者の国籍に関係なく、国がスタートアップに期待するものは大きい。

起業にはもちろんリスクが伴う。しかし、最近の若い人はリスクを取ることを恐れなくなってきているという声が聞かれる。たとえ失敗しても路頭に迷うことはなく、最後は国が面倒を見てくれるという福祉国家への信頼が、起業へ向けて背中を押してくれるのだ。

もともとフィンランド人は、納税で社会に富を再分配しようという気持ちも強い。フィンランドの税務署の2021年の調査によると、フィンランド国民の約8割が税金を納めることに満足していて、95%が納税は大切だと答えている。また8割が税金の恩恵を感じているという。税金の使い道がはっきりしていて、自らも過去にその恩恵をたくさん受けてきているし、老後を考えれば誰もが公的支援に頼る時が来る。収入の多くが税金で取られるが、その代わりに多額の貯金をする必要性もそれほどない。日本では個人の支出に頼っている部分の多くも、フィンランドでは公的に負担してくれるので、個人負担は非常に低く抑えられるのだ。

ゲーム会社スーパーセルの創始者イルッカ・パーナネンは毎年納税者番付でトップにいるが、いつも喜んで納税しているとインタビューで語っている。福祉に税金が使われることで自分たちの社員がより良い生活が送れて、その子どもたちもより良い教育を受けることでより優秀な人材が育ち、将来、自分たちの会社にも入ってくれるならば、こんなに素晴らしい投資はない、というのが理由だそうだ。加えて、彼は納税以外にも、子ども病院の建設に多額の寄付をしており、後進のスタートアップに対する資金援助にも積極的だ。

さらに、失敗に寛容な空気も欠かせない。EUの調査によるとフィンランドは起業し、失敗してもセカンドチャンスが得られやすい環境が整っているという。たとえ倒産しても、その処理にかかる時間も費用も他の国より少ない。また、起業の失敗に対する恐れは約3割で、他のEU加盟国平均よりもずっと低い。前出のタピオ・シークも、「昔は起業して失敗すると、ルーザー（敗北者）としてレッテルを貼られがちだったが、最近は、失敗はつきもので、復活のチャンスもまだあると前向きに考える人が多くなった」と語る。

ちなみにフィンランドでは、「失敗の日」というユニークな記念日（10月13日）も2010年に誕生している。もともと大学生や起業家が言い始めた記念日で、失敗への恐れやタブー感を払拭することを目的としている。「失敗は成功のもと」の精神に基づき、起業家たちがこれまでの失敗談を共有し、今後の失敗を回避するために学び合うイベントが開催されている。これも起業が盛んになると共に生まれた文化だ。

盛んなリカレント教育

ここまで見てきたように、起業ブームを支えている要因として「やり直し」がしやすい社会だということがある。起業に限らず、うまくいかない時、他の興味が生まれた時に別のことを始めたり転職したりしてもいいし、何歳になっても学び直しをして他の道に進む選択肢もある。フィンランドはもともと「リカレント教育」と言われる社会人の学び直しが盛んだ。

フィンランドでは職場が提供する訓練だけでなく、自治体や教育機関などの様々な成人教育への参加率が世界トップクラスだ。というのは、失業率が普段から高く雇用が不安定なため、今の仕事を続けるにしても、転職や新たなポジションに挑戦する場合でも、学び直しは欠かせないためである。

フィンランドの場合、こういった生涯を通じた学びの場の中心となるのが、大学などの高等教育機関だ。ＯＥＣＤの調査によると、30代で学位を取るために学ぶ人たちの割合は世界でトップを誇る。私の留学中も、大学には年齢も背景も多様な人たちが集まり同じ授業を受けていたし、社会人も通いやすい夕方や週末にも多くの講座が設けられていた。

そもそもフィンランドでは学生と社会人の境目があいまいだ。最近大学で見ないなと思っていたら就職していて、仕事の合間に授業を受けたり論文を書いていたり、休学してしばらく働き、何年後かに休職して大学に復帰する人もいる。

私の知人も、卒業後にカルチャーセンターに通うような気軽さで様々な大学のコースを履修し、他の分野で学位を取ったりしている。育休中や一時休業中、1年のサバティカル休暇などに勉強して転職したり昇進に役立てたり、40歳を過ぎて別の職業から薬剤師、保健師、秘書、プログラマーになったりした人たちもいる。

それが可能なのも、無料もしくは安価で学べる場があることと、ワークライフバランスが整っていて学ぶための時間が確保しやすいこと、そして学んだことが評価される制度と文化があることが大きい。

公開講座や自治体の生涯学習センターであっても、条件をクリアしていれば単位として認められ、後に学位を取る際に活用できる。大学間の単位交換も容易だ。受講した内容次第では給料や昇進にも反映されるため、学習意欲も上がる。さらに最近はオンライン授業の選択肢が広がったことも、学びやすさを後押しする。

第3章でも述べたように、自分の力で学び続けられる国民を育てることが義務教育の目標でもある。国にとって、国民は一番の資源。だからこそ、義務教育だけでなく成人の学びも投資として重視され、政府は国民が自分の能力を伸ばす機会を平等に持てる社会を目指している。

コロナ禍での学び直し

そして継続的学習の重要性は、コロナ禍においてますます高まっている。2020年11

月時点でハローワークにあたる機関に求職登録した人の数は、前年の同時期よりも8万6000人増加した。そんな人たちの受け皿として大きな役割を担ったのが、まさに大学などの教育機関だ。従来の学部の授業や公開講座に加え、失業・休業中の人たち向けに無料講座が全国で続々と開講された。

講座は基本的にオンラインで行われ、1000人を超える受講生を受け入れた大学もある。すぐに仕事に役立つ商務や経営、人事、法律、心理といったものから、将来全く違う分野への転職を見込んだプログラミングや医療やケア、さらに農業などの講座にも、受講生が多く集まっているという。財源は当然、政府からの補助金だ。

一般向けのユニークな講座も次々と誕生している。その代表的なものが人工知能（AI）の基礎を学ぶ「エレメンツ・オブ・AI」だ。世界中の人たちが受講できるよう英語で提供されている無料オンライン講座で、ヘルシンキ大学と企業Reaktorがプログラムをつくった。もともとはフィンランドの全国民のうち1%にAIの基礎を身につけてほしいという狙いで2018年に開講されたものだが、その目標はあっという間に達成され、既に全世界で60万人以上が受講したとされる。フィンランドは2019年後半にEU議長国をつとめたが、任期を終える際に、EUへのプレゼントとして24の言語でこの無料講座を提供すると発表した。この講座が大変に好評だったためだ。自国だけでなく全世界向けというところに、1人だけではなくみんなで強くなろうという思考が見えて、何ともフィンランドらしい。

私も英語版を受講してみたが、修了まで約30時間かかり、短時間にできるものではなかった。しかも毎回小テストがある。記述式の回答は受講生同士でオンラインで採点し合う仕組みもあった。この講座だが、実は日本人にも受講してもらえるよう、プログラムを日本語化したいとの思いをフィンランド側は持っている。その際には、無料でのオンライン講座の開設、さらに講座修了時にはフィンランドと同じように大学で単位が認定されることを希望している。つまり、この講座によって利益を得ようという意識は全くなく、AIの基礎を知ること自体が、いずれ広く世界の人たちの利益となればという純粋な志の方が強い。そして開発協力した大学や企業、さらにはフィンランドの知名度やイメージが上がれば、それが新たなチャンスや利益をもたらすと考えている。

レールは一本ではない

このように年齢にかかわらず、フィンランドでは自分の興味や状況に応じて、進むレールを選んだり、分岐させたり、本線に戻したりすることができる。その背景にあるのはやはり教育だ。日本ではフィンランドの義務教育ばかりが注目されがちだが、私はそれ以降の教育により強く魅力を感じる。

第3章でも述べたが、中学卒業後、半分が高校へ、半分が職業学校へ進む。職業学校は就職に強く、実践的なことを学べるため人気が高い。

その後の進学先でも、総合大学以上に専門職大学が人気だ。商務や経理の学科も、看護や介護職、美容の資格が取れる学科もある。俳優志望なら、俳優の学校へ進む。

私のフィンランドの友人の子どもたち2人は中学での成績は非常に優秀だったが、より実用的な勉強をしたいと高校ではなく職業学校に行き、プログラミングを専攻。同時に高校課程修了資格取得も目指して授業を取り、卒業時には専門の資格と、高校課程修了の資格の両方を得た。その後、姉は専門職大学に進みマーケティングの勉強をし、卒業後は海外で就職。数年後に帰国して仕事をしながら総合大学に編入し、30歳で経営学の修士号を取得した。弟は工科大学に進んで現在エンジニアを目指して勉強している。

最近は高校などを卒業した後に、次に何をしたいのかを考える充電期間を持つ若者が増えている。総合大学の受験が厳しく、学部によってはなかなか合格できないというのもその理由の一つにはあるが、将来の夢や何をしたいのか明確なプランがないのでその間に海外に行ったり、旅行をしたり、アルバイトをしたりして、自分の道を模索したいという若者が多いからだ。

フィンランドでは男性に徴兵制があり、この充電期間に兵役に行くケースが多い。女性の場合は志願制だが、年々軍隊に行く人数は増え、ここ10年で2倍以上になった。報道によれば2021年には1675人の志願者があったという。以前ほど物珍しさがなくなり、他にすることがないから、体を動かすのが好きだから、興味があるから、という軽い気持ちで志願する人がいる一方で、平和維持活動や危機管理にいずれ携わりたいとの熱い思いを持ってくる人もいるそうだ。

ひと月約5万円の学生手当

就職においては、日本のような新卒採用制度や決まった募集の季節があるわけではないので、求人は通常、空きが出たらその都度行われる。即戦力が求められるため、重視されるのは経験と知識だ。経験が浅いのであれば、知識や専門性でカバーするしかなく、それを手っ取り早く証明できるのは学歴や資格となる。さらに学生のうちから様々な研修やアルバイト、インターンシップに励み、そこで経験を積んでいく。目当ての企業が求人を出していなくても、ポジションが空いていないか聞いたり、履歴書を送ったりするのが通例だ。何十通と送っても研修先すら見つからないこともある。だが、ラッキーな人は夏休みに3ヵ月の研修をした場所で気に入られ、そのままそこで就職することもある。そういう場合は卒業を待たずに就職となるので、仕事をしながら授業に通ったり、何年もかけて論文を書いて提出したりする。

ただし、博士号まで無料で学ぶことができ、他にも格安で様々な勉強ができる分、フィンランドの教育機関の財政状況は厳しい。寄付や企業の協賛が得やすい学部は設備も研究費も教師も豊富だが、そうでない学部は規模を縮小せざるを得なくなっている。私が留学していた頃は、留学生も授業料は無料だったが、最近はEU外から来る留学生からは授業料を徴収するようになった。

しかし、フィンランド人の大学生は、授業料が無料であることに加え、国から54～56ヵ月間、生活手当と住居手当を合わせてひと月あたり約5万円ほどの援助が受けられる。長期休暇にアルバイトをすれば、親の経済状況に左右されることなく進学できる。所定期間を過ぎてしまった場合でも、無理のない学資ローンがある。意欲と実力があれば、年齢に関係なく学びたい時に勉強ができ、学び直しの機会に溢れているのは、フィンランドの強みである。

ワークライフバランスの充実

フィンランドで学び直しが盛んなのは、ワークライフバランスが充実しているからでもある。

フィンランドでは基本的に残業はせず、定時になるとどんどん人が帰り始める。さらに9割の企業はフレックスタイムを導入している。

そうして空いた時間を使って大学や学校に通い、勉強を続けている人は多い。他にも趣味に勤しんだり、健康のために体を動かしたり、友人たちと交遊したり、子どもがいる人は保育所のお迎えや習い事への送迎をしたりと、やることはたくさんあって忙しい。

長期休暇をゆったりと取るのもフィンランドの特徴だ。ほとんどの有給休暇は夏休みに費やされ、公務員もマスコミも、エンジニアもブルーワーカーも約4週間の夏休みを取る。学校の夏休みが2ヵ月半もあるので、家族全員が一緒に過ごす期間も長い。その間も、会社では最低限の業務を維持する必要があるため、夏休みは職場内で調整しながら交代で取り、学生の力も借りる。

フィンランドの同僚たちからは「パスワードを忘れるくらいしっかり休みなさい」と言われる。長く休むことで頭も体もリフレッシュでき、新たな気持ちで仕事に向かうことができる。つまり、オンとオフがものすごくきっちりしているのだ。それは学校も一緒で、長い夏休み中に宿題はほとんど出ない。子どもにとってもワークライフバランスは大切で、思いきり遊んだり家族と過ごしたりすることも発達には欠かせないと考えられている。

夏休みの過ごし方は人それぞれだが、多くは旅行に出かけたり、湖や海の近くのコテージでのんびり過ごしたりする。もちろん、仕事と関係のあることを勉強したり、自己研鑽を積んだり、読書に励んだりする人もいる。そして休み明けには皆がパワフルに働く。こういったワークライフバランスを保つのは、ウェルビーイングの観点からも大事だが、今はイノベーションや創造力が求められる時代だからこそ、インプットの時間としても重視されている。

しかし、これだけ休んで残業もしなければ、処理できない仕事も出てきてしまうのではないかという疑問もあるだろう。その通り、どんなに無駄を省いて効率良く働いたとしても、全てを１００％こなすのは不可能だ。優先順位をつけて対応するものの、中には目をつぶってしまうものもある。もちろん、重要案件の場合には催促することも大切だが、ある程度の常識は求められる。基本的には就業時間の中でしか対応してもらえないというのが前提だ。休日や就業時間外に催促をすれば、逆に非難されることも多い。

メーカーや下請け、客など、立場は違えども、全ての人には長い休暇を取り、定時で帰って人間らしい生活を楽しむ権利がある。みんなが「お互いさま」という気持ちで相手の立場を思いやって、寛容さを持つことが求められているわけだ。

盛んな起業や学び直し、そしてワークライフバランスの実現が国の活力を生むことは間違いない。しかし、それは個人レベルでの働き方改革や一社の取り組みだけで実現することではなく、社会全体の意識を変える必要がある。公的支援が手厚く、失敗に寛容で、良い意味でゆとりのあるフィンランドの試みは、今後の日本にとってもきっと参考になるはずだ。

第5章
フィンランドの現在とこれから

2019年3月15日、ヘルシンキの国会前に気候変動対策を訴えて、約3000人の若者が学校を休むなどして集まった。この日は全国の多くの自治体で同様のストライキが行われた（Finland promotion board）

ここまで、男女平等施策や子育て支援、教育など、国民一人ひとりの幸福を支えるフィンランド社会の仕組みを見てきた。しかしそんなフィンランドも順風満帆というわけではない。福祉国家として手厚いサービスを維持するには十分な税収入を確保しなければならないが、少子高齢化や不安定な雇用といった難問を抱えているのも事実だ。

一方で、様々な新しい取り組みも始まっている。第5章では、現在のフィンランドが抱える社会的課題や様々な変化について紹介したい。それを通して、フィンランドが何に取り組み、いかなる問題に頭を悩ませており、そしてどのような未来を描こうとしているのかが見えてくるはずだ。

様々な課題

出生率の低下

フィンランドは子育て支援が充実した国として知られているが、少子化も急激に進んでいる。2010年には1・89だった合計特殊出生率も、2019年には1・35にまで低下。この間は決して不況続きだったわけではなく、原因は明確になっていない。低下が一時的なものなのか、継続的なトレンドなのかもはっきりしていないのが現状だ。

出生率低下の背景には複数の要因があるとされているが、その一つが不安定な雇用だ。フィンランドでは若いうちはフルタイムの仕事に就けないことも多いし、たとえ雇用されたとしてもリストラの不安が大きいため、家族を持とうという気になれない。そこに都市部の住宅費高騰が追い打ちをかける。

ライフスタイルや家族観の変化もある。最近では、「誰もが子どもを持つ人生」が当たり前だとは思われなくなってきた。現在、都心部に住む40代前半の男性の約3割には子どもがいない。2018年に発表された統計では、20～59歳の男女の15％が「子どもは欲しくない」と回答している。仕事と家庭の両立が難しい、自分のキャリアへの悪影響がある、幼い子どもにコミットした生活をしたくない、といった理由があるようだ。

この問題に対して、フィンランド政府はまだ具体的な対策を取っていない。出生率が下がったといっても、1990年から2014年までは1・7を維持していたため、この間ずっと1・3〜1・5と低迷していた日本ほどの切迫感がないのかもしれない。また、移民を受け入れていることもあり、フィンランドの人口は毎年微増している。だが、このまま出生率が下がり続けるようであれば、移民の数を現在の2倍に増やす必要があるとされている。

フィンランド国内の人口研究機関が2020年に発表したレポートによれば、柔軟で包括的な家族政策や幼児教育への投資増大が、長期的には出生率の向上につながる可能性があるという。一方で、2020年、2021年と若干出生率が上昇している。コロナ禍ではあるが、行動制限等があった中、ライフスタイルや価値観に再び変化が生まれているのかもしれない。ただ根本的な少子化解消とまでは言えず、推移を占うには、もう少し時間が必要だろう。

高齢化の波

高齢化も深刻だ。65歳以上の人口が総人口に占める割合（高齢化率）は2020年の段階で22・6％に到達しており、2030年には25％、2050年には30％を超えると予想されている。日本は28・7％（2020年）と世界で最も高齢化率が高いが、フィンランドも世界4位の数値だ。

フィンランドでは家族に関する感覚が日本と徹底的に異なり、実家や親との付き合い方も違う。子どもには老親を介護する義務はなく、老親と同居している家族もほとんどいない。家族というのは「親＋未成年の子ども」のことであって、18歳で成人してしまえば、たとえ自分の子どもであっても別の個人。ほとんどの場合、進学を機に成人は家を離れ、ひとり暮らしもしくはパートナーとの同居を始める。進学先がどんなに実家から近くともだ。それが可能なのは、フィンランドは総合大学も専門職大学も授業料が無料なのに加え、学生は毎月生活費と住居手当が国からもらえ、親に頼る必要がないためだ。

親の子どもに対する法的義務は、公式には子どもが法的な成人年齢（18歳）に達した日をもって終了する。ただし、成人後も互いに愛情が消えるわけではない。家族同士、様々なサポートを互いにし合っている。成人した子どもがまだ就職していなかったり、仕事をやめたり学生生活に戻ったりした時など、お金を節約するため一時的に実家で同居することだってある。親と同居する25〜29歳の若者はフィンランド統計局の調査では10％。親が子どもに多少の生活費や住居費など金銭的な支援をすることも多い。しかし、こうした場合でも同居を前提としないため、ある程度の距離をもって互いに支え合っているし、法律的には支える義務はない。それは、成人は独立した個人であり、それぞれが最大限働き、税金を納めて社会に貢献することが国づくりの基礎になっていることの表れでもある。

高齢者のケアを主に担うのは、公共の福祉サービスだ。介護が必要になった場合には、子どもと同居するのではなく、自治体のサービスを利用してできるだけ自立して生活してもらうか、施設を利用することが前提となる。施設は公立、私立、サービス付き高齢者向け住宅などいろいろあるが、いずれも比較的安価な値段で利用できる。そのため、介護離職もフィンランドではほとんど起きにくい。先日発表されたYLEの調査によると、回答者の半分以上は両親もしくは親戚が高齢で介護が必要になっても、面倒を見るつもりはないと答えている。周りも皆そうなので、親と同居していないことや、直接親のもとに行ってサポートしていないことを責める風潮も感じられない。

ただし、離職してまで介護をするという考えはないフィンランドでも、やはりできるだけのことをしたいと感じている人は多い。親を近くに呼び寄せたり、サービスを受けやすく自分もいざという時にかけつけやすい街中に引っ越してもらったりという話はよく聞く。子週末のたびに数百キロ離れた実家へと親の様子を見に行く友人も、私の周りには多い。子どもの世話に加えて親の介護や心配が重なり、ストレスを感じている人もいる。しかし、それぞれ葛藤はあるものの介護自体は義務ではないので、行政サービスに頼り、できる範囲で老親をサポートしながらも、仕事を続けて自分の役目を果たすというのがフィンランドのやり方なのである。

そんなフィンランドでも、かつては高齢者になると介護施設に入るのが通例だったが、最近はコスト面の問題や、高齢化の進展により収容人数がいっぱいになってきたことから、通いの介護士のサポートを受けながら、自宅でできるだけ自立して生活するスタイルが推奨されるようになってきた。一部の自治体では、子どもの里親制度や家庭的保育事業のように、介護士や希望者が自宅で数時間もしくは一時的に高齢者を預かる試みも始まっている。現在、75歳以上で、自宅で暮らす人たちは91％。24時間サービス付きの介護施設で暮らす人は２０１８年の段階で７・８％いるが、今後はその割合を７％に抑えて、その分介護士や家族の力を借りて自宅で過ごす人を増やすことを目標としている。友人の母親も、認知症がかなり進んできているが、介護士やデジタル機器の助けを得ながらひとり暮らしを続けている。本人が希望していても、施設に入る認定を受けるのは簡単ではなくなってきているのが実情だ。

施設であれ通いであれ、介護サービスの質の低下や、介護に携わる人たちの過酷な労働環境などがメディアで取り上げられることも多い。今よりもさらに高齢化率が上がれば、もっとケアや社会福祉関連の増員が必要になる可能性もある。いずれは家族が老親を介護しなければならない日が来るのではないかとも言われている。ただ、家族に頼るのは最終手段であって、今さら家族に介護を義務づけることは現実的には難しいかもしれない。

フィンランド政府は予防的支援に力を入れること、テクノロジーを積極的に導入することを検討しているが、日本と同様、抜本的な対策はないのが現状だ。

移民の増加

フィンランドでは新政権が発足すると、各省庁の長官から政権に向けて提言書が出される。2019年夏に発表された提言書では、少子高齢化の中で十分な年金とサービスを確保するために、15～64歳の就業率を2023年までに現行の72%から75%へと引き上げる必要があるとされている。そのためには新たな雇用を創出し、失業率を5%以下に抑えなければならない。また、長期的には就業率80%を目指す必要があるという。

フィンランドでも、学校にも通わず仕事もしていない若者の存在が社会問題として認識され始めており、彼らへの就業支援が熱心に行われている。それでも就業率増には限界がある。

このような状況で、労働力として期待されているのが移民だ。地方ではフィンランド語やスウェーデン語ができないと生活しづらいが、都会なら英語ができれば支障はないし、英語で仕事ができる会社も増えてきた。

ヘルシンキ市統計（２０１９年）によると、２０００年以降、両親もしくは本人が海外から移住してきた人たちの割合はそれまでの3倍に増え、全住民の16・5％を占めるまでになった。多くは欧州からだが、アジア、アフリカからの移民も少なくない。公用語以外を母語とする人も増えており、２０３０年までにヘルシンキ市の人口の23％を占めることになると予想されている。

もともとフィンランドは移民受け入れに積極的な国ではなかった。言葉も独特で、寒くて小国、おまけにオープンな労働市場を持っていないため、魅力的な移住先だったとは言えない。しかしEU加盟国が増えるにつれて留学や旅行などで訪れる人も多くなり、フィンランドの企業もグローバルに展開し始めると、移民の数は徐々に増えていった。

一時的ではなく永住や継続的な滞在が認められた移民へのサポートは手厚い。ロシア出身で祖父母がフィンランドにルーツがある友人は、仕事がなく、フィンランド語もあまり話せなかった移住直後から、最低限の生活は保障されていた。様々な手当が支給され、福祉サービスもフィンランド人と変わらないものを受けることができていた。彼女は移住後に修士号を取得。家族や親戚も徐々にフィンランドに移住し、移民用のフィンランド語講座に通い、国や自治体の支援を受けながら仕事に就いていった。

現在はフィンランドにルーツがあっても優先的に移住できるわけではなく、滞在ステータスによって受けられるサービスは異なる。それでも、結婚などにより永続的にフィンランドで暮らす前提で受け入れた場合には、できるだけ現地での生活に馴染み、溶け込めるようサポートしていこうという国の姿勢が強く感じられる。

2022年3月以降、ウクライナでの戦争により避難してきた人たちの難民申請が発生している。ウクライナの人たちはビザがなくとも3ヵ月はフィンランドに滞在できるため、件数はまだ多くないが、4〜8万人が避難してくると予想されており、滞在先の確保などの準備を進めている。

2018〜22年に発表された国連の「世界幸福度ランキング」では、フィンランドは5年連続で1位に輝き、2018年の「移民が感じる幸福度」の項目でも、フィンランドは1位になっている。

私自身も2000～05年に「外国人」として暮らしていた。当時を振り返ると、手取り足取りという感じで何でも助けられていたわけではないが、突き放されることもなく、心地いい距離感だと感じた。フィンランド人は、積極的ではなくとも移住者たちと互いをできるだけ理解し合おうとし、国の政策も含めて身の丈にあった数と形で確実にゆっくりと、共生への道を探っている。移民が増えることは、マイナスでも課題でもなく、人材を大きな資源と考えるこの国にとっては財産であり、豊かさと発展のチャンスをもたらしてくれる――。そんな言葉も、多くの人たちから聞かれる。

ポピュリズム政党の台頭

とはいえ、移民が社会に馴染めないという話や、就職でフィンランド人より明らかに不利な状況にある、といったネガティブな声も聞こえてくるし、極端な反移民・難民の立場で極右的な活動をしている人々が引き起こす嫌な事件もしばしば報じられる。

2015年の総選挙で、当時反EUを掲げていた政党「フィン人党」が第二党になり連立与党に加わったことは、「極右政党が大躍進」と海外でも大きく報道された。その後、党の分裂などもあったが、同党は2019年の総選挙でも第二党の地位を維持した。連立政権には入らなかったものの、一定の国民の支持は続いている。2021年の地方選挙でも14・5%の得票率を得て、六つの自治体で同党が第一党となった。

フィン人党は、海外では極右政党、右派ポピュリズムと紹介されているが、その実態はそれらの言葉の意味から少しずれる。EU離脱ではなくEU枠内での国家の権限拡大を求め、経済格差の解消、福祉の充実などを訴えている。スキルのある移民は歓迎し、難民も一定数の受け入れはよしとするが、多様性や寛容を前面に押し出しているわけではなく、「郷に入っては郷に従え」の厳しい姿勢を取っている。一部の党員からは過激な差別的発言も聞こえてくる。

同党は気候変動対策にも消極的だ。2019年の総選挙では、各党が積極的に温暖化対策や気候変動対策の目標を訴えたのに対し、これらの問題については明言せず、距離を置いたスタンスを保った。

いずれにしても、急激なグローバル化や格差の拡大などにより、反動で内向きになっている人々は少なくないのだろう。また、最近は外国人による犯罪が起きると、フィン人党の支持が一時的に伸びるという現象も起きている。

フランスの「国民連合」（RN）やドイツの「ドイツのための選択肢」（AfD）など、

他国の排外主義政党に比べればまだ一線を画しているように見えるが、何かきっかけがあれば勢いが加速したり、鈍化したりと、その盛衰は無視できない。

現政権が目指すもの

サンナ・マリン政権誕生

2019年末に、当時34歳の女性であるサンナ・マリンが首相に就任した。連立政権を組む五党のリーダーも全員が女性だったため注目が集まり、世界的に報道される華々しい船出となった。マリン首相は就任早々から新型コロナウイルス感染拡大に見舞われ、いきなり難しい舵取り(かじとり)を迫られたが、それでも比較的高い支持率を維持していた。

ざっとフィンランドの政治状況を説明しておくと、社会民主党と中央党、国民連合党が伝統的な三大政党とされている。

社会民主党はマリン首相も所属しており、再配分を重視する経済左派の政党だ。支持者には高齢者が多く、党勢に衰えがあり、この20年間は政権与党に入ることもなかった。近年では女性議員を増やすと共に環境問題を訴え、若者の支持を得つつある。

中央党はもともと地方や農家から支持されているイメージだ。経済的には中道右派といえる。国民連合党は経済右派で、三大政党の中では最も新自由主義的価値観と親和性が高い。フィンランドで起業が盛んになったのも国民連合党の貢献が大きい。党幹部には経営者が多く、経済界のエリートから支持されている。

フィンランドは多党制で、これらの三大政党の他に最近若い世代の人気が高い緑の党、左派同盟やスウェーデン国民党、キリスト教民主党や、前述のフィン人党などの政党がある。

戦後は基本的に、中道の中央党と左派の社会民主党、そして複数の小規模政党が政権与党を構成していたが、冷戦崩壊後は社会民主党に代わって右派の国民連合党が台頭し、政権に加わるようになっていた。しかし、２０１９年春の選挙では社会民主党が大きく躍進し、その社会民主党を中心に、中央党・左派同盟・緑の党・スウェーデン国民党が連立与党を構成することになった。

第一党に返り咲いた社会民主党政権のもとでは、２０１９年当初は男性党首が首相になったが、秋に郵便局の待遇改善ストライキの責任を取って早々と辞任。その後を継いだのがサンナ・マリンだった、というのが一連の経緯だ。

目玉は雇用と気候変動対策

現政権のプログラムのスローガンは「参加型で能力のあるフィンランド〜社会的、経済的、生態学的にサステナブルな社会」だ。

序文では、北欧型の福祉国家は理想的としつつも、2020年代にフィットする北欧モデルの「更新と強化」が必要なこと、そして2030年までに社会的、経済的、生態学的にサステナブルな社会を構築することを目標に掲げている。さらに、人々は経済のために働くのではなく、経済が人々のためにあるべきだと説く。

肝心のプログラムの中身だが、既に述べた通り就業率を2023年までに75％に引き上げること、雇用の創出、移民の労働市場への早期参入、年金制度改革、働きながら学ぶことを促進するための施策などが謳(うた)われている。

もう一つの目玉が後述する、2035年までのカーボンニュートラル達成という目標だ。プログラムには、そのための具体策や数値目標が盛り込まれた。その他に、前政権からの懸案であった保健・福祉制度改革、義務教育の年齢引き上げ、育休制度の改革、EUとの協調など、国際社会への貢献を意識した内容も端々に見られる。

プログラムで目標として掲げた法改正や政策が進められる一方、それ以外の様々なトライアル（試行）も行われている。例えば、2021年の秋からは3分の1ほどの自治体で、就学前教育の開始年齢を現行の6歳から5歳へと引き下げる実証実験を開始した。就学前教育を2年間に延ばすことで、子どもたちの学びと親の就業にどう影響があるかを調べる。支援が必要な子どもの早期発見につながるのではないかとの期待も寄せられている。対象は約1万人だが、参加するかどうかにあたっては、親の意志も尊重される。

フィンランドではこういった実証実験がフットワーク軽く行われている。まずはトライアルを行い、効果があれば法改正をしてスピーディーに全国規模で適用していくのだ。2017年にはベーシックインカム（年齢や性別、就業の有無を問わず政府が一律で国民に一定額を支給し、最低限の生活を保障する仕組み）の実験も行った。ランダムに抽出された2000人の失業者に2年間、通常の失業手当の代わりに毎月560ユーロを非課税で支給するという試みだ。期待したほどの就業促進にはつながらなかったようだが、「生活手当の申請や書類提出のために煩雑な手続きを取る必要がなくなった」「今まで挑戦できなかったことに挑戦できるようになった」など、受給者の声はおおむね好意的で、ウェルビーイングの向上が見られたという。

こういったパイロットトライアルの結果や科学的な証拠に対しては非常にオープンで前向きだ。近年、世界的に「証拠に基づく政策立案」（ＥＢＰＭ）の必要性が訴えられているが、フィンランドはこの点でも先を行っている印象がある。

マリン首相は以前、週休３日制、１日６時間労働の構想を発言し世界中で話題となった。効率化とウェルビーイングの向上を目指し、労働時間が短縮されるべきだと彼女は主張する。これはあくまでも個人的な主張なうえに、フィンランドの首相はあくまでも連立政権をまとめるリーダーであって、一方的に意見を押し通せるほどの権力はない。ただ、世界一のワーキングカルチャーをつくることは、現政権の目標となっている。

コロナ禍で行われた、「子どもたちに向けた記者会見」

政権が誕生してまもなく始まったのが、新型コロナウイルスの世界的な流行だ。フィンランドでも２０２０年３月に緊急事態宣言が出され、渡航制限、教育機関での対面授業の中止、在宅勤務の要請、高齢者や持病のある国民への外出を控える要請、イベントなどの人数制限、飲食店の休業要請など、様々な感染対策が採られた。ロックダウンほどの厳しい措置は行われなかったものの、結果的にはエッセンシャルワーカー以外の人はほとんどが在宅勤務となった。

まだ先行きが見通せず、不安なことも多かったこの頃、非常に印象的だったのはマリン首相をはじめ関係大臣や専門家が、記者会見を通じて積極的に国民へ呼びかけていた姿だ。彼女たちはほぼ毎日のように最新の状況や今後の方針を語り、必ず国民の理解と協力を求める言葉を短く冷静に、そしてはっきりと伝えた。そのまっすぐなメッセージは一人ひとりに響いたようだ。普段は個人の権利や自由を尊重しているフィンランド人も、政府からの要請を自分のこととして受け止め、感染を食い止めようと最大限の努力をしていた。

中でも特筆すべきは、マリン首相と関係大臣が公共放送と協力して行った「子ども向けの記者会見」だ。オンライン授業や生活の変化、離れて暮らす祖父母に会えない日々が続くなど、子どもたちも不安を抱えている。そんな彼らに向けて、わかりやすい言葉を選んでゆっくりと話す様子は、全ての国民を尊重し、決して見捨てまいとするフィンランド社会の姿勢とも重なって見えた。

さらに、新型コロナウイルスで大きな影響を受けた事業者や失業者からの給付金の申請など、様々な手続きがオンラインでスムーズに行われたことも、大きな混乱や不満が生じなかった背景にある。フィンランドでは1960年代から個人識別番号の導入が始まり、医療、福祉サービス、行政の手続きなど、ありとあらゆるものがマイナンバーに紐(ひも)づいている。もともと多くの職種で生産性と効率を高めるためにデジタル化が進んでいたし、柔軟な働き方を実現するために在宅勤務やオンライン会議も積極的に推奨されていたことが、コロナ禍で強みとなった。

2020年春に行われたEUの調査では、フィンランド人はコロナ禍においても最もポジティブで、ウェルビーイングがいい国の一つとの結果が出た。また、秋に行われた調査でも、フィンランド人はEUの中で最も未来を楽観的に考えているとされた。よくフィンランド人はネガティブ思考だと言われたり、もの静かで感情をあまり表さない国民だと称されたりするが、危機的状況における忍耐強さや団結力、制約があっても可能なことをやってみようという転換の早さが際立つ結果だった。

そして、今回のことはフィンランド人の政府に対する厚い信頼を改めて浮き彫りにした。もともと高い税金を徴収して福祉国家を維持するには、国民の政府に対する信頼がなければ成り立たない。コロナ対応では何が正解かという明確な答えは見えないが、政府は国民のために最大限の努力をしていると受け止められている。また、普段は政権と対立している野党も、国会決議においては大きな妨げとなることを避けていた。

様々な批判はあるものの、２０２１年1月の調査では、政府のコロナ対策を受け入れる、もしくは高く評価する人たちの割合は75％となり、これはＥＵの中ではデンマークに次いで高い数値だった。

サステナブルな社会に向けて

新型コロナウイルス以外で脅威とされているのが気候変動だ。フィンランドの一人あたりのエネルギー消費量は日本よりもはるかに多く、ＥＵでも最も高い。その背景には、エネルギー消費の多い工業が盛んなこと、寒冷な気候のため長期間の暖房が必要なこと、人口密度が低いため運輸や人の輸送にエネルギーが多く使われていることなどの要因がある。

気候変動の影響は明確に出ており、夏は30度を超える暑い日が増え、20年ほど前まではほとんど見ることのなかったエアコンも、南部では設置されるようになってきた。その南部では冬になっても雪がほとんど積もらず、湖や海が凍らないという年も最近では珍しくない。もともとフィンランドは森や湖や海などの自然が身近にあり、長年その恩恵を受けて国を発展させてきた国だ。気候の変化に対しては、国民の関心も高まっている。

EUは2050年までにカーボンニュートラル（CO_2の排出収支をゼロにすること）を達成するとの目標を掲げているが、現政権はこれをさらに前倒しして2035年に達成することを目指している。そのために、前述のプログラムの中で、遅くとも2029年5月までに石炭のエネルギー使用を段階的に廃止し、再生可能エネルギーや代替燃料への投資を加速させることを明記した。世界初の化石燃料のない福祉社会を目指すというわけだ。

SDGsに関する取り組みも盛んで、2020年末に発表されたヨーロッパのSDGsレポートによれば、EU加盟国の中で最も達成度が高いのはフィンランドであった。SDGsの目標「誰一人取り残さない世界」は、長年北欧の福祉国家が掲げてきた目標でもある。SDGsという概念が生まれる前から、この目標に沿った国づくりが行われてきた。現在、目標到達度では北欧諸国が上位にあり、フィンランドは貧困、教育、男女平等といった社会的部分の達成度は高い。ただ、気候変動対策や、サステナブルな農業、そして消費と生産といった分野ではまだまだ課題が残っている。

そうした中で、サステナブルな経済の実現に向けて世界をリードしていこうという、フィンランドの本気度がうかがえる動きがある。世界循環経済フォーラムの開催だ。循環経済（サーキュラー・エコノミー）とは、資源調達の時点から環境負荷を考え、省資源、リサイクル、再利用、再生産を視野に入れた製品開発、さらにはシェアリングなどを通じた資源循環の実現を目指そうとする経済の在り方だ。フィンランドは世界循環経済フォーラムを2017年から開催している。そこでは毎年2000人ものビジネスリーダーや政策関係者などが世界中から集まり、どうすれば競争力や利益を保ちながら持続可能な開発目標を達成し、世界に貢献できるかが議論されている。

各自治体もサステナブルな社会の実現に向けて、独自の努力をしている。その筆頭にあるのがノルディックスキーの大会で知られるフィンランドの都市ラハティだ。2021年の欧州グリーン首都賞を受賞したラハティでは、生活の質を落とすことなく楽しみながらサステナブルな街をつくることを目指している。ラハティは石炭の使用を廃止しており、フィンランドの大都市として初めて2025年までにカーボンニュートラルに、2050年までには廃棄物ゼロの循環型経済都市になることを目標としている。既に家庭ゴミの99%以上がリサイクルされ、地域の暖房には、リサイクル燃料と地元の認証を受けた木材が使われている。温室効果ガスの排出は、1990年と比べて70%削減されたという。市民一人ひとりがアプリを使用して移動手段による排出量を調べて、取引をすることもできる。

中部の中核都市タンペレでは、文化ホールに使用するエネルギーが2019年から再生可能エネルギーに切り替わり、フィンランド初のカーボンニュートラルなホールとなった。

社会を支える市民の力

若者たちの行動力

フィンランドの子どもたちにとって、気候変動は最も大きな心配事の一つだ。強い当事者意識や危機感を持っている若者は多い。「大人は十分に対応していない。未来のために今アクションを取るべきだ！」という怒りの声は、小中学生からも聞こえてくる。

そうした背景もあり、スウェーデンのグレタ・トゥーンベリさんの行動がきっかけで2019年に世界各地に広がった「気候変動のための学校ストライキ」は、フィンランドでも大きな盛り上がりを見せた。最大規模のものでは、数千人の未成年者がデモに参加したとされる。その中には小中学生など義務教育期間中の子どもたちもいた。そんな彼らに対する周囲の大人たちの寛大な対応がとても印象的だった。

環境省は彼らを支持するメッセージをSNSなどで流し、一部の学校や自治体は、親や周りと話し合ったうえで子どもたちがデモに参加する場合には公休扱いとした。

「子どもが政治に意見を言うなんてけしからん！」などといった空気はなく、ストライキを生きた教育の場として捉えている様子がうかがえた。報道によると、ある小学6年生のクラスでは話し合いが行われ、NGOなどとも連絡を取りながら気候変動について学び、両親の許可を得たうえで、全員でデモに参加したという。行くかどうかは自由に選べたが、結果的には全員が参加し、先生も一緒に手づくりのプラカードを掲げながら歩いたらしい。

現在のコアカリキュラムでは、「アクティブに社会に参加する市民」が教育の目標として掲げられていることもあり、現場の先生は、デモはまさに素晴らしい実践になったとメディアのインタビューに答えている。

幼い頃からの市民教育

もともと、フィンランドでは幼い頃から自分の意見を持ち、発信することが重視されている。その教育は何と保育園児の頃から始まる。クラスのシンボルマークを決める時に模擬選挙を行い、子どもたちがそれぞれの理由を言ったうえで投票したり、イベントのプログラムに子どもたちの意見を取り入れたりするといったことが、各地の保育園で行われている。それによって自分の意見を持つこと、相手にわかってもらうために話すことの重要性や、投票というシステムも自然と学ぶことができるのだ。

小学生になれば児童会があり、子どもたちが話し合って使い道を決められる予算もある。共有部分にソファを置くとか、スポーツ用具の充実、さらには気候変動対策を考えた校舎の一部の改善など、様々な実例がある。

中高生は、学校を飛び出して自治体の青少年議会に参加することもできる。まだ参政権のない中高生だが、立候補してビジョンを語り、実際に同年代の子どもたちの投票を経たうえで青少年議員に選ばれる。地方議会での決定権は持たないが、地方議会は必ず参考意見として青少年議会の議論や提言に耳を傾けなければならないとされている。

参政権を持たない子どもたちを対象にした模擬選挙の面白い試みもある。大統領選や全国規模での総選挙など大きな選挙がある時は、全国的に多くの小中高校を巻き込んだ模擬選挙が行われ、実際の候補者や政党に投票することができる。NGOが主催しているもので、投票するのも、選挙の管理人をつとめるのも子どもたちで、実際の選挙さながらの光景が繰り広げられる。ボランティアベースで自由参加だが、多くの子どもたちが参加し、投票結果はメディアでも報道される。

政治にもっと興味があれば、既に述べたように10代の頃から各政党の青少年部に所属して選挙活動の支援や政治の議論に参加することもできる。

政党に入るほどの意欲はなくても、NGOなどに参加して社会課題に関わることは頻繁に見られる。私が大学に留学していた時も、日本のサークル活動のような気軽さで、政治政党の勉強会や活動に参加している人、国際的なNGO、動物愛護、人権擁護、環境保護、平和活動といったものから、子育て支援、高齢者ケアのボランティア活動に関わる人など、いろいろな人がいた。社会に参加するための活動は様々な形で存在しているのだ。

フィンランドでは国政の投票率が6~7割と高いが、その背景にはこうした市民教育・社会活動の文化があるというわけだ。

なお、国会議員の顔ぶれには、元介護士や教師、スポーツ選手など様々な職歴の人がいて、性的マイノリティー、移民など、背景も多様で、現役世代も多い。

人口が550万人と少ないので、身近に議員やインフルエンサーがいるという人は多い。同級生が政治家になることも珍しくない。二世議員も多くいるが、政治家の家系でなくても議員になった例をたくさん見ているし、若い20代、30代のうちに政界の要職に就いたり、インフルエンサーとして社会に影響を及ぼしたりできることも、多くの人が近くで見て知っている。自分たちの仲間が政治や社会を動かしていると感じられるのだ。

同性婚合法化をもたらした国民発案制度

近年はネットやソーシャルメディアの活用もあり、どこかの団体に所属していなくとも一般市民が意思表示をしたり、ムーブメントを盛り上げたり、法制定に影響を与えることもできるようになった。例えば、フィンランドには2012年から施行された「国民のイニシアチブ（国民発案）」という制度がある。これは、国民の側が法改正や新たな法整備を望む場合、投票権を持つフィンランド人のうち5万人以上の署名を集めれば正式に政府へ提案することができ、しかも必ず審議されるという制度だ。法務省が公式ホームページを運営していて、そこには市民から出た数々の案が掲載され、署名を呼びかけている。

この制度によって立法されたのが同性婚の合法化だ。フィンランドでは、以前からパートナーシップ制度（同性カップルが関係性を公式なものとして登録し、互いの財産や相続に関する権利を得る仕組み）はあったが、同性婚は保守派の反対も根強かった。しかし2013年に全国的なキャンペーンが起こり、開始初日に10万人の署名が集まった。そして国会での審議を経て2015年に法案が成立、2017年に施行されている。

市民参加型イベント「レストランデイ」の様子。
当日は誰もが食事や飲み物を販売できる　(Finland promotion board)

実際にこの制度で法案の成立に至るのは年間数件ほどだ。それでも、署名が一定数集まればメディアでも報道されるので、広く国民や政治家に社会問題として認知してもらうのに役立つ。

他にも目を引く市民主導のムーブメントの例として「クリーニングデイ」がある。2012年から始まった年に2回開かれるイベントで、この日は誰もが自分の責任で不用品などを自宅の前や公園で販売できる。「リサイクルのハードルを下げる」「地域交流を図る」といったことが目的で、各地で街全体がフリーマーケットになる。国内全体では4500ヵ所以上で開催されているという。

同様の市民参加型のイベントとしては、誰

もが1日食事や飲み物を販売できる「レストランデイ」や、自宅や職場のサウナを開放する「サウナデイ」といったものもある。いずれも本来ならば保健所や当局の許可が必要だが、市民が積極的に社会活動できるよう、1日だけは規制を少し緩和して、自己責任で楽しめるようにしている。

もとはたった1人の呼びかけや、一部の団体が始めたことであっても、いいと思うことならどんどん広がっていく。普段はもの静かなフィンランド人のどこにそんな情熱があるのだろうと思う時もあるが、言う時には言う、いいと思えばとりあえずやってみる、そんな底力やフットワークの軽さが感じられる。

国民全員に社会を変える力がある

そもそもフィンランドは国民の力で独立を勝ち取った国だし、第1章・第2章で扱ったネウボラや保育や子育ての制度も、広範な国民運動を背景として整備されていったものだ。各自が主体性を持って政治や社会と関わる姿が、フィンランド社会の根底にはある。

フィンランド人と話していると、上の世代からは「若者に期待したい」「若い世代は素晴らしい」といった言葉がよく聞こえてくる。実際、2019年のサンナ・マリン政権発足時の閣僚19人を年齢別で見ると、30代が4人、40代が7人だ。

どうして若い人たちを素直に褒めて、責任ある仕事を任せられるのか。ビジネス・フィンランド日本の元カントリーマネージャーのペッカ・ライティネンは、「人間、年齢と共に保守的になり、どうしても腰が重くなってしまうが、社会は変わり続ける必要がある。だからこそ若い世代の力が必要。若い彼らはフットワークが軽く、考え方が柔軟で、スピードも速い。もちろん彼らに足りない経験を持っているのは上の世代の強みなので、方向修正やアドバイスなどをすることも時には必要だ」と述べていた。

この話を聞いて私が思い出したのが、日本に住むフィンランド人の友人が言っていた「日本語の『社会人』って不思議な表現だよね」という言葉だった。彼の主張は「学生が終わって就職したから社会人というのは変で、『社会の人』というのなら、学生だって子どもだって立派な社会人じゃない？」というもの。

これはフィンランド人の間で共有されている感覚を見事に言い表していると思う。年齢も性別も学歴も関係なく、一人ひとりが社会の一員であって、誰もが社会を良い方向に変える力があるというのがフィンランドの発想なのだ。

未来に向けて

様々な課題はあるが、基本的にフィンランド人の生活への満足度は非常に高い。2018年から5年連続で、幸福な国ランキングでは1位だったたし、EUの統計局であるユーロスタット（Eurostat）の調査でも生活満足度は欧州トップクラスとなっている。若い頃は国外に出て刺激的な生活をしたいと言っている人でも、結局は結婚して子どもを持つとフィンランドに戻ってくるケースが多いように感じる。

その大きな理由として、機会の平等と公平性がある。フィンランドでは大統領が飛行機で移動する時も、ビジネスクラスに席がなければエコノミークラスで移動するし、大使たちは基本的にエコノミークラスだ。いくら裕福な人でも、出産や手術は一般の病院で受け、学校も大学も身近な公立に行く。

教育も福祉も住む地域や経済的な背景に関係なく、一定水準のサービスが受けられる。まさにゆりかごから墓場まで、最終的には国が何とかしてくれるという信頼があり、国民たちは税金を納めてサービスとアクセスの保障に貢献する。

その分、その平等や公平性がゆらぐ出来事に対しては非常に敏感に反応する。

プログラミングがまだ義務教育に組み込まれていなかった頃、子どもや大人向けに様々なプログラミング教室が開催されていたが、その多くが企業の支援を受けて無料だった。皆にとって必要な知識だからだ。有料だと、スキルを得られるかどうかで格差が生まれてしまう。

コロナ禍のマスクについても、義務教育の子どもたちには必要に応じてマスクを無料で配布することになった。全員が必要なものならば格差があってはならない、と。

教育に限らず、保育、介護、福祉などあらゆる分野で、全ての人たちにアクセスの保障と公平性が保たれるべきだとの考えは、フィンランド人の価値観の根幹となっている。フィンランドは相対的に格差がきわめて小さい国の一つである。それでもフィンランド人に聞けば「格差が広がっていることが心配」とか「まだまだ不平等だ」というネガティブな答えが返ってくる。現状に満足せず、状況を厳しく捉えている。

そして誰もが尊厳のある生活水準を保てることを必要な社会保障と捉え、低所得層への支援に対しては寛大だ。彼らを努力が足りない人だと見るのではなく、そのような状況に陥っているのはむしろ社会の問題だと捉える。

フィンランドは50年、100年後はどうなっているのだろう。その頃にはサステナブルな社会を築けているだろうか。私はきっと、福祉国家としての基本的な価値観を維持したまま成長を続けていると思う。人が国の一番の資源だと考えて投資を惜しまず、新しい考え方やイノベーションを柔軟に取り入れ続け、一人ひとりの市民がそれを支えているだろうから。

個々の制度やサンナ・マリンのような特定の個人が立派なのではなく、その根底にある「平等」「公平性」といった価値観や思想、そしてそれを支える人々の力こそが、フィンランドが誇る最大の強みであり、そして一番の宝物なのだ。

あとがき

泣き叫ぶ子どもたちや、兵器を持った男性たち。銃撃音に、瓦礫(がれき)の山。「あとがき」を書いている2022年4月現在、ロシアの侵略によって、連日、痛ましいウクライナの様子が目に入ってくる。

私がフィンランドに留学した頃、周りにはたくさんのロシア人とウクライナ人がいて、いつも仲良く楽しく過ごしていた。今でもフィンランドにはその時の学友が多く住んでいる。彼らの心境を思うと胸が痛む。

今回の戦争は、フィンランドにとっても対岸の火事ではない。ロシアと国境を接し、過去に何度か戦火を交え、冷戦時もその後も西側の玄関口として微妙なバランスを維持してきた。

いつ矛先がフィンランドに向かうかもしれず、フィンランドの動向は世界から大きく注目されている。フィンランドの大統領、首相、各閣僚はEUや国際社会と協力して解決策を探り、ウクライナへ援助の手を差し伸べるため、連日、外交活動に忙しい。

紛争地域に武器を輸出しないという長年の原則を今回のみ転換し、フィンランド政府はウクライナへの武器の供与を決定した。ロシアに厳しい制裁を加えつつ、ウクライナへの人道援助と開発援助に多額の資金を提供することも決定している。難民の受け入れ、大学への学生受け入れも徐々に始まっている。

一方、万が一への備えも始まった。フィンランド国内の予備兵の訓練には、今まで以上に多くの人が集まっている。全国各地にある防衛用シェルターの点検や整備も進む。

市民の動きも活発だ。寄付金や物資を送ったり、停戦や平和を訴える集会も各地で開催されたりしている。先日もヘルシンキの中心地で、一般の母親2人が発案した平和を訴える行進があり、賛同した4000人以上が参加した。主催者は、もし女性が権力者だったら、権力拡大の戦争に自身の子どもを送ることはないだろうと語っている。

今回の危機に関し、政府も市民も動きが早い。もちろん地理的なことと、人口の規模が影響していることは否めないが、それ以上に一人ひとりが当事者意識を持ち、できることから始め、とにかくやってみている。フィンランド政府も、各自が与えられた役割の中で最大限の努力をし、責任感を持って素早い決断をしている。それは新型コロナウイルスの時と同じだ。

フィンランドは過去に何度も困難に見舞われてきたが、こういったスピードと柔軟性を持ち、身の丈に合った形で最大限を尽くして行動していくのに秀でている。それは、これまでの経験から学んだスキルなのかもしれない。


　本書を書き始めてから、実はもう5年は経っている。途中何度か中断もあったのだが、その間に世界は驚くほどの変化に見舞われている。書き始めた当時、欧州では難民問題があり、日本では少子化や保育園の待機児童問題が大きく叫ばれていた。欧州で持続可能を意味するサステナブルという言葉が盛んに使われるようになり、気候変動に対して強い危機意識を持って行動する若者が増え、それが政治にも影響するようになった。そして新型コロナウイルスの発生。「オンライン」が当たり前になり、世界中の人の暮らしが変わった。そこに追い打ちをかけるように今回の戦争だ。

　ここ2年半、国境がほぼ閉鎖され、直接海外に行くことは難しくなった。一方で、世界はこんなにもつながっているということを嫌でも意識させられたのではないだろうか。新型コロナウイルスも気候変動も戦争も、世界の問題は私たちの生活にも影響する。もはや、世界で起きていることは、私たちにとって「知らなくていいこと」ではない。逆に、日本で起きていることも、世界の人たちに善かれ悪しかれ影響を及ぼす。国境はあっても、ウイルスも、気候変動も戦争の弾も封じ込めることはできない。だからこそ、私たちは知って、学んで、一緒に考えて行動することが必要だ。感染を防ぐために、一人ひとりの努力が求められているように、私たちは世界という大きな社会の一員として、広い視野で考えて行動しなければならない時代が来ていることを認識しなければならない。

本書に書いたことの多くは、人口の規模は違っても、日本が目指していることでもある。フィンランドの全てがいいわけではないが、学べることは学び、逆に日本が優れていることは、どんどんアピールし、互いに学べばいい。協力すれば解決のヒントが生まれる課題もあるかもしれない。そのためには、まず関心を持って知り、考えていくことが、未来への第一歩ではないだろうか。世界はつながっているのだから。

本書を書くために、フィンランドの友人、そして日本でもたくさんの人の協力を得た。この場を借りてお礼を言います。本当にありがとうございました。

さらに、書くきっかけを与えてくれた集英社の穂積敬広さん、編集の石戸谷奎さんに、心からのお礼を申し上げます。途中、何度も中断してしまい、本当に申しわけありませんでした。

なお、本書の内容は私個人の見解であり、所属する組織の公式なものではありません。

最後に、皆さんがこの「あとがき」を読んでいる頃には、戦争が既に終わり、平和な世界になっていることを切に願っています。そして、フィンランドや海外への行き来が、もう少し自由になっていますように。

堀内都喜子

2022年4月

参考資料

まえがき

・Rankasta perhetaustastaan kirjoittanut kansanedustaja Sanna Marin IL:lle（Iltalehti, 2016.11.28）
・Sanna Marin, 34, ei suoraan kritisoi Antti Rinnettä（Helsingin sanomat, 2019.12.5）
・Finland's Sanna Marin hopes women leaders will be the "new normal"（CNBC,2020.1.23）
・Prime Minister Sanna Marin's New Year's message（Finnish government, 2019.12.31）
・Sanna Marin 公式ウェブサイト https://www.sannamarin.net/

第1章

・Labour force survey（Statistics Finland, 2020）
・Gender Equality in Finland 2021（Statistics Finland）
・Keskuskauppakamarin naisjohtajakatsaus 2/2020: Naiset pörssiyhtiöiden hallituksissa-kesäkuu 2020.（Finland Chamber of Commerce, 2020）
・Keskuskauppakamarin naisjohtajakatsaus 2020: Naiset pörssiyhtiöiden johdossa, kansainvälinen vertailu.（Finland Chamber of Commerce, 2020）
・Women in the Boardroom: A Global Perspective 2019（Deloitte）

・Just one in three board members at Finnish firms is a woman-but that's still better than in most countries（YLE, 2019.10.31）
・Naiset Huipulle! Johtaja sukupuolesta riippumatta（EVA, 2007）
・Gender equality-Centre for gender equality Information（THL）https://thl.fi/en/web/gender-equality
・Gender equality（フィンランド社会保健省）https://stm.fi/en/gender-equality
・Naiset vaaleissa（Finnish Parliament）
・Riikka Karppinen, 24, asettui jo lukioikäisenä kaivosjättiä vastaan Lapissa-sai nyt kutsun Linnan juhliin（Iltasanomat, 2018.11.14）
・Municipal elections result service（YLE, 2021）
・Women as Members of Parliament（Finnish parliament）
・Kunnallinen päivähoito helpotti naisten työssäkäyntiä（Kela, 2017.11.14）
・Decrease in birth rate stopped in 2020（Statistics Finland, 2021）
・Varhaiskasvatuksen asiakasmaksut muuttuvat 1.8.2021 alkaen（Kuntaliitto,2021）
・Varhaiskasvatus 2020（THL, 2021）
・Kotihoidon tuen käyttö vähenee edelleen-pienten lasten äidit entistä useammin töissä（THL, 2020.1.16）
・Miten isät käyttävät isyysvapaata?（Kela, 2020.9.18）
・Perhevapaiden kehitys 1990-2005（Palkansaajien tutkimuslaitos, 2007）

・Vanhempainpäivärahaa sai ennätysmäärä isiä（Kela,2016）
・Isien osuus vanhempainvapaista ennallaan-neljännes isistä ei pidä vapaata lainkaan（Kela, 2019）
・2020-luvun perhepolitiikkaa（Vaestoliitto, 2018）
・Finland is EU's second most violent country for women（YLE, 2014.3.5）
・Violence against Women: An EU-wide Survey.（European Union Agency for Fundamental Rights, 2014）
・Recorded cases of domestic violence against minors decreased by 14per cent（Statistics Finland, 2021）
・"Women in Finland"（Otava Book Printing, 1999）
・This is Finland https://finland.fi/
・Lasten päivähoitojärjestelyjen tie on ollut pitkä ja kuoppainen（YLE, 2012.5.11）
・Lastentarhasta päiväkotiin-varhaiskasvatuksen murros 1970-luvulta nykypäivään（Lasten suojelun keskusliitto, 2017）
・フィンランド外務省『フィンランドの男女平等――選択の自由による生活の質向上』（２０１８）

第2章

・"Parempia viikkoja varjosti aina pelko seuraavasta romahduksesta"-joka kymmenes isä masentuu lapsen saamisen jälkeen（YLE, 2019.12.15）

・Holopainen, A. & Hakulinen, T. New parents' experiences of postpartum depression: a systematic review of qualitative evidence. JBI Database of Systematic Reviews and Implementation Reports 17(9), 1731-1769. （THL, 2019）
・Maternity grant（Kela）https://www.kela.fi/web/en/maternity-grant
・Eighty years promoting a good start for every child in Finland（this is Finland, 2018）
・Kela unveils "flexible, sustainable" 2022 maternity package（YLE, 2021.12.10）
・THL https://thl.fi/en/web/thlfi-en
・髙橋睦子『ネウボラ　フィンランドの出産・子育て支援』（２０１５）かもがわ出版
・横山 美江、Hakulinen Tuovi 編著『フィンランドのネウボラに学ぶ　母子保健のメソッド――子育て世代包括支援センターのこれから』（２０１８）医歯薬出版

第３章

・PISA（OECD）https://www.oecd.org/pisa/
・OECD 生徒の学習到達度調査（PISA）（国立教育政策研究所）https://www.nier.go.jp/kokusai/pisa/index.html
・PISA 2012: Proficiency of Finnish youth declining（フィンランド教育文化省 , 2013.12.2）
・PISA 2012 Results: Ready to Learn（Volume III), Students' Engagement, Drive and Self-Beliefs（OECD, 2013）

・Kiva program https://www.kivaprogram.net/
・Finnish Schools on the Move https://www.liikkuvakoulu.fi/english
・フィンランド外務省『フィンランドの教育――成功への道』（２０１７）

第4章

・The Global Startup Ecosystem Report 2020（Business Finland, 2021）
・Slush https://www.slush.org/
・Business Finland https://www.businessfinland.fi/en/do-business-with-finland/home
・リスト・シラスマ『NOKIA 復活の軌跡』（２０１９） 渡部典子訳、早川書房
・Aalto design factory https://designfactory.aalto.fi/

第5章

・Population with foreign background in Helsinki（City of Helsinki）
・Finland grants temporary protection for people fleeing Ukraine-instrument used for the first time（Finnish immigration service, 2022.3.9）
・Inclusive and competent Finland-a socially, economically and ecologically sustainable society, Programme of Prime Minister Sanna Marin's Government 2019（Finnish government）
・フィンランド外務省『Facts about Finland フィンランドってどんな国？』（２０２０）

堀内都喜子（ほりうち ときこ）

長野県生まれ。日本語教師等を経てフィンランド・ユヴァスキュラ大学大学院に留学し、修士号を取得。その後、フィンランド系企業での勤務を経て、現在はフィンランド大使館で広報の仕事に携わる。前著『フィンランド人はなぜ午後4時に仕事が終わるのか』（ポプラ新書）は「読者が選ぶビジネス書グランプリ2021」でイノベーション部門賞を獲得。その他の著書に『フィンランド　豊かさのメソッド』（集英社新書）がある。

フィンランド 幸せ（しあわ）のメソッド

集英社新書一一一五B

二〇二二年五月二二日 第一刷発行

著者……堀内都喜子（ほりうち ときこ）

発行者……樋口尚也

発行所……株式会社集英社

東京都千代田区一ツ橋二-五-一〇 郵便番号一〇一-八〇五〇

電話 〇三-三二三〇-六三九一（編集部）
〇三-三二三〇-六〇八〇（読者係）
〇三-三二三〇-六三九三（販売部）書店専用

装幀……原 研哉

印刷所……凸版印刷株式会社

製本所……ナショナル製本協同組合

定価はカバーに表示してあります。

ISBN 978-4-08-721215-0 C0236

Printed in Japan

a pilot of wisdom

集英社新書　好評既刊

社会――B

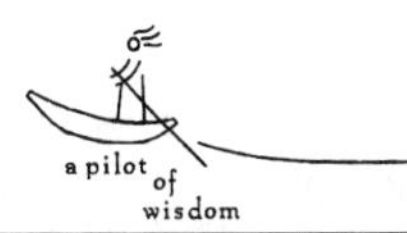

- 「他者」の起源 ノーベル賞作家のハーバード連続講演録 — トニ・モリスン
- 言い訳 関東芸人はなぜM-1で勝てないのか — ナイツ 塙 宣之
- 自己検証・危険地報道 — 安田純平 ほか
- 都市は文化でよみがえる — 大林剛郎
- 「言葉」が暴走する時代の処世術 — 太田 光／山極寿一
- 性風俗シングルマザー — 坂爪真吾
- 美意識の値段 — 山口 桂
- ストライキ2.0 ブラック企業と闘う武器 — 今野晴貴
- 香港デモ戦記 — 小川善照
- ことばの危機 大学入試改革・教育政策を問う — 東京大学文学部広報委員会・編
- 国家と移民 外国人労働者と日本の未来 — 鳥井一平
- LGBTとハラスメント — 神谷悠一／松岡宗嗣
- 変われ！ 東京 自由で、ゆるくて、閉じない都市 — 隈 研吾／清野由美
- 東京裏返し 社会学的街歩きガイド — 吉見俊哉
- 人に寄り添う防災 — 片田敏孝
- プロパガンダ戦争 分断される世界とメディア — 内藤正典
- イミダス 現代の視点2021 — イミダス編集部・編
- 中国法「依法治国」の公法と私法 — 小口彦太
- 福島が沈黙した日 原発事故と甲状腺被ばく — 榊原崇仁
- 女性差別はどう作られてきたか — 中村敏子
- 原子力の精神史——〈核〉と日本の現在地 — 山本昭宏
- ヘイトスピーチと対抗報道 — 角南圭祐
- 世界の凋落を見つめて クロニクル2011-2020 — 四方田犬彦
- 「自由」の危機 ——息苦しさの正体 — 藤原辰史／内田 樹 ほか
- 「非モテ」からはじめる男性学 — 西井 開
- 妊娠・出産をめぐるスピリチュアリティ — 橋迫瑞穂
- マジョリティ男性にとってまっとうさとは何か — 杉田俊介
- 書物と貨幣の五千年史 — 永田 希
- インド残酷物語 世界一たくましい民 — 池亀 彩
- シンプル思考 — 里崎智也
- 韓国カルチャー 隣人の素顔と現在 — 伊東順子
- 「それから」の大阪 — スズキナオ
- ドンキにはなぜペンギンがいるのか — 谷頭和希
- 何が記者を殺すのか 大阪発ドキュメンタリーの現場から — 斉加尚代

集英社新書　好評既刊

政治・経済——A

資本主義の克服　「共有論」で社会を変える　金子勝
沈みゆく大国 アメリカ 〈逃げ切れ！ 日本の医療〉　堤未果
「朝日新聞」問題　徳山喜雄
丸山眞男と田中角栄 「戦後民主主義」の逆襲　佐高信／早野透
英語化は愚民化 日本の国力が地に落ちる　施光恒
経済的徴兵制　布施祐仁
国家戦略特区の正体 外資に売られる日本　郭洋春
愛国と信仰の構造 全体主義はよみがえるのか　中島岳志／島薗進
イスラームとの講和 文明の共存をめざして　内藤正典／中田考
「憲法改正」の真実　樋口陽一／小林節
世界を動かす巨人たち 〈政治家編〉　池上彰
安倍官邸とテレビ　砂川浩慶
普天間・辺野古 歪められた二〇年　宮城大蔵／渡辺豪
イランの野望 浮上する「シーア派大国」　鵜塚健
自民党と創価学会　佐高信
世界「最終」戦争論 近代の終焉を超えて　内田樹／姜尚中
日本会議 戦前回帰への情念　山崎雅弘
不平等をめぐる戦争 グローバル税制は可能か？　上村雄彦
中央銀行は持ちこたえられるか　河村小百合
近代天皇論 ——「神聖」か、「象徴」か　片山杜秀／島薗進
地方議会を再生する　相川俊英
ビッグデータの支配とプライバシー危機　宮下紘
スノーデン 日本への警告　エドワード・スノーデン／青木理 ほか
閉じてゆく帝国と逆説の21世紀経済　水野和夫
新・日米安保論　柳澤協二／伊勢﨑賢治／加藤朗
世界を動かす巨人たち 〈経済人編〉　池上彰
アジア辺境論 これが日本の生きる道　内田樹／姜尚中
ナチスの「手口」と緊急事態条項　長谷部恭男／石田勇治
「在日」を生きる ある詩人の闘争史　金時鐘／佐高信
改憲的護憲論　松竹伸幸
決断のとき——トモダチ作戦と涙の基金　小泉純一郎 取材・構成 常井健一
公文書問題 日本の「闇」の核心　瀬畑源
大統領を裁く国 アメリカ　矢部武

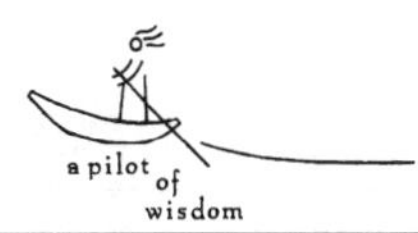
a pilot of wisdom

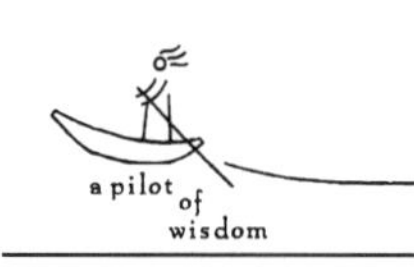
a pilot of wisdom